BYE BYE U.S.A.

LA CRISE MONETAIRE INTERNATIONALE

AUTEURS
JACQUES CARRIERE
JEAN CHAILLER
MARIO DORE
ALAIN TREMBLAY

Ont collaboré à ce manuscrit, en nous permettant d'utiliser leurs travaux:
Louis Fortier
Louis-Denis Pelletier
Richard Lemire
Robert Fournier
Bernard Landry
Louise Forest
Nicole Lambert
Andrée Lavoie
Jacques Beaudry
Jean Côté
Chantal Savard
Jean Bellehumeur
et Jacques Lefebvre

TABLE DES MATIERES

INTRODUCTION

Issu d'un travail collectif, "La crise monétaire internationale" se veut avant tout un document d'économie adressé aux étudiants de niveau collégial.

Nous avons voulu, face au nixonisme, rassembler dans ces quelques pages, l'historique des systèmes économiques, leurs avantages et désavantages pour enfin arriver au système monétaire de Bretton Woods et démontrer, tant bien que mal, sa faiblesse et sa force.

Certes, la raison de ce manuscrit est les mesures Nixon qui, si elles ont nui aux autres pays, ont permis aux Etats-Unis de sortir vainqueurs d'une défaite.

U.S.A., PUISSANCE MONETAIRE MONDIALE (HISTORIQUE).

I. U.S.A., PUISSANCE MONETAIRE MONDIALE (HISTORIQUE).

Au siècle dernier, la livre sterling jouait le rôle de monnaie internationale. Elle répondait à deux conditions essentielles du commerce international: elle était stable depuis très longtemps et elle était disponible partout.

On se souviendra que l'Angleterre détenait à elle seule la moitié du commerce international et que son avance maritime et économique l'avait dotée d'un vaste empire construit par les compagnies à charte. La Grande-Bretagne, grâce à sa prépondérance maritime et coloniale, avait réussi à établir un réseau bancaire qui recouvrait à peu près tous les points névralgiques du monde.

Puis, ce fut la première guerre mondiale et le débarquement des troupes américaines en Europe. C'est ici que les Etats-Unis s'affirmèrent vite comme une grande puissance mondiale, imposant le dollar américain comme monnaie internationale. Le monde capitaliste avait maintenant deux monnaies de réserve: le sterling et le dollar US.

Malheureusement, la crise financière de 1929 porta un dur coup à la livre sterling. La Grande-Bretagne, devant son incapacité à faire face aux fuites de capitaux étrangers déposés antérieurement à Londres, coupa le lien qui existait entre l'or et la livre: Londres, par cette décision, abandonnait l'étalon-or. En 1934, ce fut au tour du dollar américain d'être ébranlé, mais les autorités américaines décidèrent de maintenir la relation dollar-or. Leur action se limita à la dévaluation du dollar, de la parité de $20.60 l'once-or à la parité de $35.00 l'once-or (prix officiel pratiqué jusqu'à l'annonce des mesures spéciales par le gouvernement américain pour ses achats d'or).

A partir de ce moment, le dollar devança rapidement la livre comme monnaie de réserve. Plusieurs autres facteurs expliquent cette suprématie du dollar américain sur les autres devises:

a) le financement de la deuxième guerre mondiale
b) l'aide d'après-guerre à l'étranger
c) les investissements industriels américains considérables au cours des années 1950-60
d) l'accumulation d'importantes réserves d'or assurant la convertibilité du dollar, dans les coffres de Fort Knox.

Pendant cette période de gloire du dollar (les années 1950-60), les pays industriels européens se relevèrent progressivement de la destruction et de la désorganisation laissées par la dernière guerre. Il en résulta un accroissement des réserves européennes en or et en dollars américains. (Tableau 1) On constate également que les réserves d'or des Banques centrales ont progressé dans les directions opposées. Jusqu'en 1960, les U.S.A. accumulaient l'or tandis que l'Europe perdait cet important pouvoir d'achat international. Inversement, à partir de 1960, ce sont les pays industriels européens, en particulier, qui ont accumulé l'or. (**Commerce,** octobre 71)

On ne peut nier le fait que les Etats-Unis aient su s'imposer sur la scène mondiale et soient devenus la grande puissance que l'on connaît. Alors comment se fait-il qu'une si grande puissance en soit venue à prendre des décisions aussi spectaculaires que celles prises au mois d'août 1971.

Ensemble nous essaierons de cerner les causes qui ont amené ces restrictions et nous tâcherons de savoir si ces événements étaient prévus pour l'économie américaine ou s'ils ont surpris les politiques du pays...

RESERVES D'OR DES BANQUES CENTRALES ET DES TRESORERIES

Tableau 1.

(En millions de dollars US)

	1938	1945	1956	1960	1963
					(fin d'années)
Etats-Unis.	14592	20083	22058	17804	15600
Grande-Bretagne. . .	2877	1980	1800	2800	2484
Allemagne.	29	0	1494	2971	3844
Belgique.	780	733	928	1170	1371
France.	2757	1550	861	1641	3175
Pays-Bas.	998	270	844	1451	1594
Italie.	193	24	362	2203	2343

Source: rapport de la Banque des règlements internationaux, 27e rapport annuel. (**Commerce**, oct. 1971)

Mais d'abord, pour mieux saisir le problème, il nous semble important d'analyser le noyau qui est au coeur de toute l'activité économique mondiale, le **Fonds monétaire international**. Cette étude nous permettra de souligner l'importance de ce système et la place qu'y tiennent les Etats-Unis.

SYSTEME MONETAIRE INTERNATIONAL

II. LE SYSTEME MONETAIRE INTERNATIONAL.

Les transactions financières et commerciales du XXe siècle ne sont pas si loin des transactions que faisaient les Grecs. Tout ce qui a changé, c'est le volume des échanges, leur importance géographique et les valeurs pour lesquelles on accorde les produits. Anciennement deux fermiers échangeaient du sel contre du sucre. Aujourd'hui, on fixe un prix au sel et un autre au sucre selon des normes telles que la rareté du produit en question, son utilité, et d'autres points comme le coût du transport, les frais d'impôts, l'inflation, etc. Ces produits portent une quantité et un prix. Pour acheter le sel nous n'avons qu'à prendre un certain montant d'argent et payer la valeur du produit. Le mécanisme est très simple: au lieu d'échanger des produits, on échange de l'argent contre le produit. Le problème est fondamentalement peu complexe.

Pour les échanges commerciaux entre pays, le système est le même qu'au restaurant du coin: on échange de l'argent contre le produit désiré par le pays importateur. Et la monnaie d'échange devient une monnaie à parité fixe, c'est-à-dire une valeur à laquelle on reconnaîtra ou accordera une certaine confiance. Le sel restera une nécessité éternelle tandis que la monnaie viendra peut-être à disparaître. Si elle perd sa stabilité, la confiance disparaît; personne n'en veut et cette monnaie ne garde plus aucune valeur, commercialement parlant.

C'est pourquoi, jusqu'au 15 août 1971, tous les pays se fiaient sur cette monnaie stable qu'était le dollar US. Mais le problème se complique au moment où l'on veut créer la monnaie: combien en créer, comment la distribuer, et du point de vue international comment rapatrier les dollars qui circulent?

Pour construire un système monétaire valable il fallait que la nécessité s'en fasse sentir... et elle se fit sentir. En effet, pour amplifier la production mondiale il fallait stimuler les exportations entre pays tant compétitifs que complémentaires. Il fallait de plus éviter le protectionnisme de certains pays, et les décisions unilatérales ou bilatérales, tout cela jouant au détriment de toutes les autres nations. Donc afin d'élever le niveau de vie, il fallait fixer au préalable des objectifs: accroître la production, stimuler la concurrence et éviter la montée d'une nation au détriment des autres. De là la nécessité d'un nouveau système.

II. 1 MONOMETALLISME-OR.

Ce fut en Angleterre en 1816, et en Allemagne en 1870, que fut adopté le monométallisme-or, système selon lequel l'or fut admis librement. Dès lors, un créancier avait l'obligation d'accepter de l'or en remboursement d'un prêt. Ce monométallisme-or allait prendre différentes formes:

II. 1 a) Etalon espèce-or.

A cette époque, les pièces d'or circulaient librement dans les pays et l'or possédait un pouvoir libératoire illimité. En même temps, se développait le système bancaire et l'apparition des billets de banque. Toutefois, les banques étaient assujetties à la convertibilité de leurs billets en or (la seule monnaie légale).

On pouvait, si désiré, n'accepter que de l'or et refuser les billets de banque. Enfin, l'Etat accorda aux billets une valeur légale afin de généraliser leur utilisation. De plus, pour éliminer progressivement de la circulation les pièces d'or, on imagina une seconde forme de monométallisme-or.

II. 1 b) Etalon lingot-or.

Sous ce dernier régime, on assurait la convertibilité des billets en or, mais sous la contrainte de l'acquisition d'un poids minimum d'or. Il fallait donc une importante quantité de billets pour obtenir cet or. Cette contrainte favorisa la disparition des pièces d'or et l'utilisation des billets dans le commerce intérieur.

Ce système était caractérisé par la circulation des billets à l'intérieur du pays et l'utilisation de l'or pour le commerce extérieur.

Le trait essentiel de ce régime est le lien étroit qui existe entre la quantité de monnaie émise par la banque centrale et les réserves d'or qu'elle garde dans ses coffres. Ainsi, une diminution des réserves d'or oblige la banque centrale à réduire en proportion sa quantité de monnaie en circulation.

Ainsi, les produits nationaux deviennent plus concurrentiels par rapport aux produits venant de l'extérieur, favorisant les exportations au détriment des importations. Il s'ensuit un excédent de la balance commerciale qui se traduit par une entrée d'or et l'accroissement de la masse monétaire. Vient ensuite le processus inflationniste qui se termine par un déficit commercial et une perte d'or.

Vers 1914-18, on généralisa le papier-monnaie afin que celui-ci devienne inconvertible. L'or perdait son rôle. En 1925, l'Angleterre rendit la livre convertible en or pour ensuite l'abandonner en 1931, ne pouvant plus la soutenir.

II. 2. ETALON-CHANGE DOLLAR.

Dans ce système, les monnaies nationales sont convertibles en dollars US qui sont eux-mêmes convertibles en or. Le privilège de la convertibilité du dollar en or est réservé aux banques centrales. La principale distinction de ce système avec celui de l'étalon-or réside dans l'absence de la "couverture-or" des billets émis par la banque centrale.

Dans la première moitié du siècle les U.S.A. ont toujours réalisé un surplus au compte commercial. Mais, depuis 1955, leur balance de paiements est déficitaire. Ces déficits occasionnèrent une augmentation dans les besoins réels de dollars US à l'étranger.

Comme conséquence, certains pays, la France entre autres échangea pour de l'or le surplus de son stock nécessaire de dollars US; ceci abaissa le stock d'or US et comme résultat, celui-ci n'était plus suffisant pour couvrir la masse de dollars US à l'extérieur du pays.

Enfin, disons que ce système témoigne de la suprématie des U.S.A. sur le commerce international et les pays en général.

La faille majeure de ces méthodes de commerce vient du fait que les commandes extérieures de l'or augmentaient à un rythme de 5% tandis que l'augmentation de l'extraction de l'or n'était de l'ordre que de 1%. Comme chaque particulier pouvait obtenir de l'or contre sa monnaie, une pénurie d'or s'est fait sentir, ce qui provoqua à la fin du siècle précédent une crise économique: baisse des prix, stagnation de la production et crise de chômage générale. D'une autre part le système était valable en ce sens qu'un excédent commercial provoquait un afflux d'or gonflant la masse monétaire, ce qui produisait l'inflation et réduisait les exportations. L'équilibre des puissances était conservé.

II. 2 a) Les accords de Bretton Woods.

Comme nous l'avons déjà mentionné, les U.S.A. sont sortis plus forts de la deuxième guerre mondiale. L'Europe et le Japon, dévastés, ne posaient pas de problèmes en ce qui concerne la concurrence sur le commerce international. Les pays sous-développés, encore moins. Les U.S.A. voyaient un besoin de s'assurer un marché pour les exportations. L'Europe ne fournissait pas un marché suffisant. Pour les U.S.A., la solution fut le financement des dettes d'après-guerre.

Il fallait de plus trouver une méthode favorisant les échanges de biens. Il y eut alors les accords de Bretton Woods dont les objectifs furent les suivants:

a) éviter les difficultés monétaires de 1914-18
b) éviter les manipulations des taux de change
c) éviter les restrictions des changes
d) favoriser la croissance du commerce international.

Pour atteindre ces objectifs, on fixa un taux d'échange limitant à 1% la marge de fluctuation, on créa le FMI (Fonds monétaire international) dont le rôle était de prêter de l'argent aux banques centrales des pays accusant un déficit dans la balance des paiements, enfin, on proposa la formation d'une Banque internationale afin de promouvoir une source de fonds pour l'investissement.

Cependant, un problème restait à résoudre: sur quelles bases stabiliser les monnaies?

A cette époque, les U.S.A. possédaient 60% des réserves d'or. On établit donc le système sur cette base et on choisit le dollar américain.

Ce système fut pensé en 1944. Il faisait suite à la crise de 1929, où la livre avait dû supporter un dur coup, et à la guerre de 1939-1945.

En quoi consiste ce système de 1944 qui accepte l'étalon-change dollar? Disons que les Etats-Unis accumulaient les plus importantes réserves d'or du monde. Mais la condition majeure pour laquelle il fut accepté était sa convertibilité en or et cela à tout moment; c'est pourquoi en éliminant la convertibilité de cette monnaie, le président Nixon a violé une règle qui semblait des plus sûres: la confiance.

"Cette forme de système repose sur le principe suivant: les monnaies nationales sont convertibles en une devise, en l'occurence le dollar américain, qui lui-même est convertible en or. Il faut dire que le dollar n'est convertible en or que pour les banques centrales et non pour les particuliers." Ajoutons que la différence entre ce système et celui de l'étalon-or réside dans l'absence de "couverture-or". L'inconvénient fut que certains pays tels que la France, au lieu de conserver les dollars américains, ont préféré obtenir de l'or; ce qui a réduit les stocks en réserve aux Etats-Unis. Ajoutez le déficit de la ba-

Tableau 1.

PAIEMENT DU DEFICIT AMERICAIN EN OR

	avant le déficit	après le déficit
Réserve des Etats-Unis		
Or:	100 unités	0
Réserve des autres pays		
Or:	10 unités	110 unités
Dollars:	50 unités	50 unités
Total des réserves mondiales:		
	160 unités	160 unités

Tableau 2.

PAIEMENT DU DEFICIT AMERICAIN EN DOLLARS

	avant le déficit	après le déficit
Réserve des Etats-Unis		
Or:	100 unités	100 unités
Réserve des autres pays		
Or:	10 unités	10 unités
Dollars:	50 unités	150 unités
Total des réserves mondiales: (R4)		
	160 unités	260 unités

lance des paiements à tout cela et vous obtenez le résultat suivant: tous les pays possèdent les capitaux ou l'or des Etats-Unis. C'est ce qui a détruit l'équilibre fragile du système de l'étalon-change dollar.

"Supposons que les réserves totales de tous les pays capitalistes soient de 50 unités de dollars et de 10 unités d'or, tandis que les Etats-Unis possèdent des réserves en or de l'ordre de 100 unités. Le total des réserves mondiales atteint donc 160 unités or-dollars. Posons, de plus, que les Etats-Unis ont un déficit au montant de 100 unités à leur balance des paiements. Pour payer ce déficit, ils ont l'alternative suivante: expédier de l'or ou des dollars aux pays créditeurs. Si le paiement s'effectue en or, nous retrouvons la situation décrite au tableau 1. Nous constatons que le solde des réserves n'a pas changé, il est toujours de 160 unités. Il ne s'est produit qu'un transfert d'or en faveur des autres pays. A l'inverse, si les Etats-Unis décident de régler leur déficit en dollars, il se produira une augmentation de la liquidité internationale de l'ordre de 100 unités. (Tableau 2)

"Remarquons que l'accroissement des réserves monétaires mondiales n'est plus déterminé par la demande mondiale de liquidité, mais simplement par l'offre de dollars résultant des déficits américains." (R4)

Cet exemple montre très bien que les Etats-Unis ne se contrôlent plus, mais sont contrôlés, si l'on peut dire, par l'étranger.

Balance des paiements.

La balance des paiements internationaux est un document de comptabilité économique qui enregistre toutes les transactions qui ont été effectuées au cours d'une période de temps entre le pays et l'étranger. La balance des paiements est habituellement présentée en trois sections:

1- les comptes courants: importation et exportation de biens, services et commodités
2- le compte de capital: mouvements de capitaux, investissements
3- le compte monétaire: exportation d'or, de dollars, de livres, pour compenser une dette ou un déséquilibre dans la balance des paiements.

Sortie $ US	Entrée des $ US	Balance
Compte courant: 150 (importation)	exportation: 200	+50
Compte capital: 100 (investissement US à l'étranger)	investissements: 40 (étranger aux U.S.A.)	—60
Compte monétaire		—10

Comment s'équilibre-t-elle lorsqu'il y a un déficit dans le compte courant et le compte capital? L'équilibre se rétablit dans les comptes monétaires par une exportation d'or, de $ ou de L pour compenser la dette. S'il y a déficit, c'est qu'il y a eu plus d'importations ou de sorties d'argent que d'entrées. A ce moment, il y a une offre de $ US sur le marché. De l'or, des dollars et des livres seront envoyés aux pays envers lesquels les U.S.A. sont en dette. Cette offre fera baisser le prix du $ US.

LE FOND MONETAIRE INTERNATIONAL.

III. LE FONDS MONETAIRE INTERNATIONAL.

III. 1 SON ROLE.

Les positions se durcissent et la ligne forte est de rigueur avant les assises annuelles du Fonds monétaire international. Le FMI est l'organisation intergouvernementale créée en mai 1945 pour administrer le système monétaire créé à Bretton Woods. Il compte plus de 120 pays. Les nations socialistes n'y sont pas représentées.

Le rôle principal du Fonds est d'être le "gardien" et le "garant" du bon fonctionnement du système monétaire. Les pays membres font appel à ses services lorsqu'ils sont en difficulté, car le Fonds c'est une banque mondiale qui prête des devises étrangères ou de l'or. Depuis 1970, elle émet sa propre monnaie de réserve par "les Droits de tirages spéciaux" (DTS). Cette monnaie est le modeste début d'une unité monétaire internationale. Le FMI est géré par quelque 20 administrateurs qui sont le plus souvent ministre des Finances dans leur pays respectif. Chaque année le Fonds se réunit en assemblée générale.

III. 2 LE FONCTIONNEMENT DU FMI.

Le FMI consiste en un pool d'or et de devises constitué par souscription de chaque nation membre. Chaque pays membre dispose d'une quote-part ou d'un quota égal à sa contribution; il exprime la valeur totale de devises étrangères que le pays pourra utiliser pour soutenir la valeur de sa monnaie. Chaque pays verse en principe le quart de sa contribution en or et le reste en monnaie nationale. Les quotas sont déterminés de façon arbitraire. Le Fonds a pour rôle essentiel de faire des avances à tout pays membre qui souffre d'un déséquilibre de sa balance de paiements.

Avant aujourd'hui, un pays pouvait retirer sa tranche-or sans l'avis de personne, retirer sa tranche créditrice, c'est-à-dire un montant égal aux prêts faits par les autres pays en monnaie de ce pays, et finalement emprunter 125% de son quota, mais avec approbation du conseil d'administration du FMI (DTS).

III. 3 LE PLAN RUEFF.

Ce plan propose le Gold Exchange Standard, qui suppose que l'impression de la monnaie sont liée à l'or et que les déficits dans les balances de paiements soient payés avec de l'or. Il est nécessaire, pour avoir l'étalon-or, d'avoir une couverture d'or pour tous les dollars imprimés, et que le dollar soit convertible en or. (Si on était lié à l'étalon-or, on ne pourrait plus se servir de politiques monétaires pour stabiliser l'économie.)

III. 4 LE PLAN TRIFFIN.

Ce plan a pour but de faire du FMI une banque centrale internationale pour les banques centrales nationales sur le même principe que les banques centrales nationales pour les banques à charte.

A ce moment, les banques centrales devraient contribuer à fournir un capital et faire des dépôts à la banque internationale. (Ce qui leur donnerait aussi le droit d'emprunt.)

LES QUATRE GRANDES CAUSES
DES MESURES NIXON.

IV. LES QUATRE GRANDES CAUSES DES MESURES NIXON.

Certains facteurs ont provoqué les mesures prises par le président Nixon au mois d'août 1971. Ces quatre principaux facteurs sont:
- a) le déficit de la balance des paiements
- b) l'inflation
- c) l'expansion militaire américaine
- d) la montée rapide des autres pays; spécialement le Japon.

IV. 1 LA BALANCE DES PAIEMENTS.

IV. 1 a) Les origines de la dégradation de la balance commerciale des U.S.A.

Pour améliorer la balance américaine de paiements, il faut qu'un montant substantiel et croissant de capitaux étrangers aille s'investir aux Etats-Unis.

Investissements: étrangers vers les Etats-Unis... $13 milliards
Etats-Unis vers l'étranger. . . . . $75 milliards

La balance commerciale des Etats-Unis a enregistré un déficit de $304.1 millions (chiffre dessaisonnalisé) en juillet 1971 dernier contre un déficit de $326.6 millions en juin. Pour les mois de janvier à juillet, le déficit total de la balance commerciale atteint $676.4 millions.

Monsieur Harold Passer, adjoint au secrétaire au Commerce et chargé des affaires économiques, déclare que ces chiffres témoignent de la nécessité de la surtaxe sur les importations et des autres dispositions arrêtées le 15 août 1971 par le président Nixon.

Les causes de ce déficit se divisent en trois points: le taux de change, les pratiques commerciales inéquitables et le développement des entreprises multinationales. Ce dernier facteur a joué de deux manières:

a) les sociétés multinationales américaines développent beaucoup plus vite leurs ventes à l'étranger en y implantant des filiales de fabrication plutôt qu'en cherchant à exporter à partir des Etats-Unis

b) la concurrence étrangère dans certains domaines amène nombre d'entreprises américaines à établir à l'étranger des filiales; elles y fabriquent à meilleur marché qu'aux Etats-Unis divers produits qui sont ensuite vendus sur le marché américain.

Les petites et moyennes entreprises se désintéressent des marchés extérieurs. Les Etats-Unis ont beau être le plus gros exportateur du monde, leurs ventes à l'étranger ne représentent qu'un peu plus que 4% de leur PNB... 4.3% en 1970.

Le marché américain, par son immensité et son pouvoir d'achat, constitue d'autre part un aimant pour les industriels étrangers, dont le chiffre d'affaires dépend souvent substantiellement des exportations. L'avantage des prix dont ils disposent est un atout important. Le réajustement des monnaies et la réforme des règles du commerce peuvent rendre à la balance commerciale américaine sa position excédentaire traditionnelle. Mais la stratégie des sociétés multinationales et la découverte du marché américain par les firmes étrangères sont des facteurs qui continueront à peser sur la balance commerciale américaine.

Le déficit de la balance des paiements des Etats-Unis n'est pas économique. Il est lié à une politique d'investissements extérieurs élevés, poursuivie à la fois par les pouvoirs publics et par les firmes américaines.

IV. 1 b) Le protectionnisme américain.

Il faut considérer les forces qui entrent en jeu afin d'expliquer les causes actuelles de la conduite américaine au niveau commercial. De plus, il convient de suivre le principe de base fondamental suivant lequel on recherche la compréhension d'un problème, avant de l'analyser et de le juger.

Depuis le début du programme d'aide commerciale internationale en 1934, les six gouvernements américains à se succéder ont tous mis l'accent sur une politique de libéralisation des échanges commerciaux et cherché à effacer les barrières tarifaires sur les importations. La concrétisation est éminente sous certains rapports, telle une réduction importante des tarifs douaniers et un accroissement magistral du commerce international.

Des efforts notables ont été déployés depuis vingt ans pour réduire au minimum les tarifs douaniers. Sous l'égide du GATT

(Accord général sur les tarifs douaniers) les Américains, en accord avec le Marché commun, ont emboîté le pas en optant pour une diminution graduelle de leurs taxes de commerce. Elles sont passées de 50% en 1930 à 9% en 1972 (advenant le rééquilibre des problèmes internes de balance des paiements et la suppression de la surtaxe actuelle de 10%).

Point n'est nécessaire de louanger outre mesure les efforts américains, puisque la communauté européenne a appliqué des réductions analogues dans un espace de temps relativement court après la signature de l'entente.

Puis en 1958, la convertibilité des devises a affecté les problèmes internes des pays, en matière de balance des paiements, haussant les tarifs douaniers sur certaines marchandises pour sauvegarder l'équilibre économique.

Dès lors, la politique américaine d'échange libre se heurta à des hausses infranchissables de frontières monétaires qui paralysèrent momentanément son commerce extérieur. Le gouvernement américain accepta sans rechigner cette hausse temporaire, et alla plus loin en intensifiant ses relations avec l'étranger, s'efforçant de trouver des stimuli économiques favorables à un redressement de l'échine commerciale.

En fait, deux ans plus tard les Etats-Unis commencèrent à reconnaître les mêmes difficultés, qui ont atteint leur apogée depuis août 1971. Dans une optique semblable à la précédente, le gouvernement supporte depuis une dizaine d'années des secousses internes qui ébranlent l'économie du pays. Malgré tout, le président Nixon et son gouvernement, tout comme leurs prédécesseurs, ont réaffirmé la fidélité que nourrit le peuple américain face à la politique commerciale libérale et internationale.

De tous les milieux ont fusé des réactions contradictoires et on a soupçonné l'Amérique de revenir à ses anciennes politiques de commerce. Mais le parti au pouvoir n'est pas seul juge des décisions commerciales avec l'étranger: il s'y ajoute le Congrès dont il faut l'accord explicite; et il faut tâter le pouls de l'opinion publique et de groupes d'intérêts spécifiques, tels les "gros bonnets" des trusts et des cartels. Ainsi il faut procéder à une évaluation objective des forces et des facteurs politico-économiques qui affectent sérieusement l'opinion américaine.

IV. 1 c) Problèmes internes et politique commerciale.

Au nombre des difficultés engendrées par une "libéralisation du commerce international", se retrouve l'idée répandue du protectionnisme.

Il s'en dégage la hantise d'un commerce soutenu avec l'étranger, et particulièrement le Japon. D'où la nécessité vitale d'imposer des restrictions pour compenser les différences de salaires et stabiliser la balance des paiements. Le sous-secrétaire d'Etat américain, M. Samuels, dictait récemment:

"Une politique commerciale libérale bénéficie encore aux Etats-Unis d'un puissant soutien théorique. Les tenants les plus bruyants des restrictions sont connus sous le nom de protectionnistes. Ils appuient généralement leur argumentation sur le cas spécial d'une industrie particulière, sur la proposition selon laquelle seuls les Etats-Unis se conforment aux règles internationales et ouvrent librement leur marché aux importations." (**Reflets et perspectives économiques**, p. 160)

Pourtant, des phénomènes récents ont hâté la dispersion des partisans étiquetés d'après le système de la politique commerciale libérale.

De cette crainte il convient de dégager les conséquences de la détérioration de la balance commerciale qui explique le déficit général des paiements américains. En 1970, les exportations de l'Oncle Sam vers le Marché commun ont connu une baisse notable tant sur les produits manufacturés que sur les matières premières. Par contre, les produits acheminés vers l'Amérique ont franchi une étape record qu'on évitait depuis toujours. Le mastodonte américain s'est vu faiblir et la sécurité rayonnante de son peuple a subi les contrecoups d'un déséquilibre dans la balance des paiements. Aujourd'hui, plus que jamais, la confiance débonnaire a fait place à un pessimisme ombrageux sous lequel se réfugient les prophètes d'une économie chancelante. La force du dollar se heurte à la concurrence mondiale.

La suprématie américaine en matière économique est un phénomène accepté au XXe siècle. Pourtant depuis cinq ans, la coalition de la communauté européenne affecte les investissements du leader commercial à un point tel que, malgré la continuelle ascendance de son PNB, l'Amérique voit ses capitaux moins fructueux que la croissance européenne. Ainsi, en 1969, les investissements européens aux Etats-Unis ont augmenté de 21%, comparativement à 14% du côté américain pour la même période.

Il reste tout de même que la valeur des investissements des Etats-Unis représente encore deux fois celle des investissements de l'Europe. Mais la tendance à une circulation en voie unique des capitaux s'écarte de la règle. Le Marché commun constitue une force de frappe pour concurrencer la vitalité économique de l'Oncle Sam.

Le climat de la politique commerciale actuelle affecte tous les pays à des degrés différents, mais d'une façon absolue: la modification de plus en plus rapide des techniques modernes et la société de concurrence accentuent le contraste déplorable persistant entre les riches contrées occidentales et les pays en voie de développement. Les changements confirment le décalage réel entre riches et pauvres. Seuls les plus forts parviennent à surmonter la concurrence et l'évolution rapide.

Il est un autre phénomène qui exerce une influence sur la politique commerciale des Etats-Unis, bien qu'il s'agisse d'une attitude plutôt mentale qu'économique: la population américaine se désintéresse de plus en plus de la politique internationale et se concentre sur ses problèmes internes, de sorte que l'enthousiasme pour les relations mondiales connaît une défaveur grandissante. Dans de nombreux domaines, elle semble mettre en doute le rôle qu'elle joue dans le monde. Si cette optique de facilité persiste, elle envenimera et détériorera la suprématie américaine en commerce international.

IV. 1 d) Facteurs extérieurs et politique gouvernementale.

Outre les influences internes sur la politique commerciale, les mesures protectionnistes des Etats-Unis ont été affectées par les décisions politiques des concurrents européens. Bien que Nixon et ses prédécesseurs aient toujours été en faveur d'une éventuelle communauté européenne plus influente, ils redoutent les effets de la force commerciale des pays d'Europe.

Un exemple révélateur: la coalition de l'**agriculture** européenne. Elle a su soutenir la demande intérieure et par surcroît, elle a occasionné un excédent qui concurrence les prix américains sur le marché extérieur des peuples occidentaux. De tels excédents bénéficient à la communauté, mais déjouent le commerce américain sur des territoires moins développés, soucieux de se procurer des denrées alimentaires au plus bas prix possible. La politique de Nixon étant frustrée, on se tourne dorénavant vers une base de marchés destinée à soutenir le marché agricole américain. Son secrétaire à l'Agriculture déclarait en novembre 1968:

"La législation agricole actuellement proposée assurerait des prêts relativement peu élevés, de sorte que le marché serait normal la plupart des années. Ce programme serait plus fortement orienté vers le marché que tous ceux qui ont été établis depuis le début des années 1930." (R 26, p. 84)

Ainsi, l'évolution des doctrines économiques américaines et celle de la pensée européenne ne concordent pas. L'ambassadeur des Etats-Unis à Paris va plus loin en affirmant:

"Les Européens ne semblent pas capables de profiter de notre expérience économique." (R 26, p. 185)

Pensée choc qui prouve bien la frustration du géant de l'économie, devant la menace constante du Marché commun.

Une deuxième influence d'ordre politique confirme les différends qui opposent deux idéologies divergentes: le sentiment qu'ont les Américains d'une violation des réglementations du GATT de la part de leur concurrent immédiat, l'Europe. Ce manquement relatif à certains privilèges préférentiels va à l'encontre de l'adoption par les Nations Unies d'une "préférence généralisée non réciproque."

Ainsi, les accords convenus dans la communauté européenne sont contraires aux accords internationaux puisqu'ils favorisent un pays à condition que la politesse lui soit rendue.

Voilà un point qui annonce l'initiative qu'a eue en août dernier le président Nixon avec la surtaxe de 10%. Elle constitue à notre avis une défense contre les violations dans le Marché commun. Ce n'est pas le seul obstacle, mais bien un éclaircissement préliminaire à une meilleure compréhension de l'attitude nixonnienne.

D'autre part, la TVA (taxe sur la valeur ajoutée) a été considérée par les Américains comme un moyen détourné, par leur partenaire, pour augmenter les tarifs douaniers sur les marchandises en provenance des Etats-Unis et protéger de la sorte son commerce intérieur. Ainsi s'amorçait une violation générale des réglementations approuvées lors du Kennedy Round et dont les répercussions suggèrent un deuxième motif aux mesures de Nixon relatives à sa politique économique 1971-72.

IV. 1 e) Le système de préférence.

Il existe déjà, tant aux Etats-Unis qu'en Europe, un taux de protection sur les importations, visant à prime abord à encourager la production locale. Malgré tout, le gouvernement des Etats-Unis d'Amérique a soutenu une politique de libre échange et a fait fi, dans une large mesure, de son protectionnisme dans le domaine de la fabrication de matériel électrique lourd, en achetant pour $46 millions d'équipement lourd à l'étranger. Il est arrivé par la suite que l'Europe n'a pas rendu l'équivalent, mais a favorisé les pays membres du Marché commun pour subvenir à ses besoins. Officiellement, ils déclarent qu'il n'existe chez eux aucun système de préférence en faveur de leurs producteurs nationaux. Toutefois les autres Etats membres de la communauté européenne du libre échange (AELE) avouent ne pas jouir des taux préférentiels conclus entre les six du Marché commun. Il n'y a pas eu consultation des tiers de l'association et ce, en contradiction avec l'entente formelle établie en 1967.

IV. 1 f) L'évolution de la situation du dollar et de la balance des paiements des Etats-Unis depuis 1945 jusqu'aux mesures Nixon.

La position de l'économie américaine dans le monde a permis au dollar d'être à la fois une monnaie comme les autres et un instrument dans les échanges internationaux au même titre que l'or-monnaie. Dès lors, le sort du dollar devait dépendre non seulement des politiques américaines internes mais aussi de ses détenteurs étrangers. On a préféré le dollar américain aux autres monnaies parce qu'il inspirait confiance de par la puissance économique et financière des Etats-Unis et aussi parce que jusqu'aux mesures Nixon, le dollar restait la seule monnaie directement convertible en or à un taux fixe. L'existence de cette relation fixe entre l'or et le dollar constituait d'ailleurs l'élément de base du système monétaire international et des échanges internationaux.

IV. 1 g) Exportations et importations.

Après la fin de la guerre, en 1947, la balance des paiements des Etats-Unis était excédentaire surtout grâce à l'excédent de la balance commerciale. Cet excédent était dû à une très grande demande qui s'était faite dans le monde après la guerre. A l'époque, seuls les Etats-Unis étaient en mesure d'y répondre car leur appareil de production n'avait pas été touché par la guerre. Cette demande provenait surtout d'Europe, où l'on demandait les biens de consommation que son industrie détruite ne pouvait plus produire et les biens d'équipement pour reconstruire son appareil productif; et d'Amérique latine: les liquidités accumulées pendant la guerre par les pays d'Amérique latine poussaient ces derniers à s'en servir aussi bien pour l'importation des biens de consommation que celle des biens d'équipement.

Cependant, à partir de 1947, il y eut une légère diminution des exportations américaines due:

a) à la petite récession de 1949 où l'on a vu les stocks industriels des Etats-Unis diminuer

b) à la dévaluation des autres monnaies par rapport au dollar américain: cette dévaluation a été commencée par la Grande-Bretagne qui fut bientôt suivie par d'autres pays. En effet, en 1949, la parité officielle de la livre est passée de $4.03 à $2.00

c) à la diminution de l'aide américaine extérieure

    d) à la discrimination à l'encontre des importations en dollars instituée à l'étranger et particulièrement dans la zone sterling au lendemain de la crise des paiements de 1949.

A la suite du conflit coréen, les Etats-Unis furent amenés à augmenter les importations, surtout celles de biens d'équipement et de matières stratégiques. Par ailleurs, les particuliers et les entreprises ont augmenté leurs stocks en prévision d'une pénurie éventuelle.

Parallèlement, les Etats-Unis ont exporté beaucoup en Europe, notamment le charbon dont l'industrie européenne avait besoin, la production européenne de charbon étant insuffisante face aux besoins de l'industrie. Par ailleurs, les mauvaises récoltes enregistrées dans les pays exportateurs ont amené l'Europe à s'approvisionner aux Etats-Unis en céréales. Aussi, il faut noter que l'accroissement de la demande aux Etats-Unis a été dû en partie à l'augmentation des revenus survenue dans les pays exportateurs des matières premières (surtout dans les pays d'Amérique latine), grâce à la hausse des prix des productions de ces pays.

IV. 1 h) Aide américaine à l'étranger.

Programme antérieur au plan Marshall: les Américains ont été amenés, après la guerre, à aider massivement certains pays où, s'ils n'intervenaient pas, la situation y étant mauvaise sur le plan économique, ces pays pouvaient vite basculer dans le camp communiste. Ainsi, ils ont donné des crédits et des dons. Ils ont accordé $5 milliards en 1946, $5.8 milliards en 1947, pour décliner à $4.9 milliards en 1948.

Le plan Marshall était adopté par le Congrès américain au printemps 1948 et s'appuyait sur trois points principaux:
    a) la priorité était accordée à l'Europe dont le relèvement économique était reconnu comme un facteur vital pour l'équilibre général et l'expansion mondiale
    b) le programme global était conçu sur une base régionale et fondé sur l'assistance mutuelle que pouvaient s'accorder les pays participants
    c) le plan était étendu aux pays qu'auparavant on considérait comme non éligibles (ex: Allemagne fédérale).

IV. 1 i) Le "dollar gap".

Le "dollar gap" est la différence entre l'offre et la demande mondiale des dollars. Pourquoi le dollar gap? Dans l'immédiat après-guerre, il y avait une pénurie des dollars pour payer les importations des biens et services provenant des Etats-Unis.

Les pays victimes de cette pénurie accusèrent les Etats-Unis de ne pas acheter assez chez eux, leur permettant ainsi d'obtenir des dollars pouvant servir à payer leurs importations en dollars. Les Américains ont répondu en donnant des dons et des crédits. Ce genre d'aide s'est aussi manifesté sous forme de dépenses militaires à l'étranger.

Jusqu'au lendemain de la guerre de Corée, le dollar est resté une monnaie forte. Par ailleurs, le dollar est resté une monnaie convertible à un taux fixe ($35 pour une once d'or) jusqu'au décret présidentiel sur l'embargo de l'or de Fort Knox.

IV. 1 j) Changement d'équilibre.

Après la guerre de Corée, les Européens inaugurent une nouvelle ère de coopération entre eux, améliorant leur position en réserves de change à un point tel qu'on pouvait dire qu'ils seraient bientôt concurrents des Etats-Unis sur le marché mondial et sur le marché américain même. En même temps, le Japon se prépare à entrer en scène. Par ailleurs, la conjoncture interne des Etats-Unis, qui avait joué un rôle effacé pendant la période d'après-guerre, reprend un rôle moteur dans l'évolution de la balance des paiements des Etats-Unis.

De 1952 à 1957, l'économie américaine parcourt un cycle économique complet encadré par deux crises politiques, la guerre de Corée et la crise de Suez. Il est marqué par une diminution appréciable de l'excédent commercial, qui est réduit de moitié, tombant d'une moyenne de $5.3 milliards de 1946 à 1951 à $2.5 milliards pour les années 1952-1956. Les surplus des années d'après-guerre ne se retrouveront, pour un court moment, qu'autour de 1957.

Après la crise de Suez, les Etats-Unis sont devenus le fournisseur marginal auquel l'Europe, pressée par une demande exceptionnellement forte, s'adresse en dernier ressort. Mais à la différence des années d'après-guerre, les Etats-Unis n'occupent plus une situation de monopole, de sorte que dès que la pression de la demande s'est relâchée, la production de l'Europe a été très rapidement en mesure de se substituer aux produits américains. A l'issue de la crise de Suez, l'Europe s'est trouvée en position de concurrencer les Etats-Unis sur un pied d'égalité.

Les dépenses extérieures du gouvernement.

Les dépenses gouvernementales à l'étranger restent d'un montant global uniforme, mais leur composition subit une modification profonde. Les dépenses militaires passent d'un volume de $0.7 milliard à $2.7 milliards pour chacune des périodes considérées. Inversement, le volume de l'aide économique se contracte à partir de 1952 et sa répartition géographique se transforme également.

L'exportation des capitaux privés.

Les mouvements de capitaux privés commencent à exercer une influence sensible sur la balance des paiements des Etats-Unis. Il s'agit surtout des investissements privés à l'étranger qui, maintenus longtemps aux environs de $0.7 milliard, triplent d'une année à l'autre après 1966. Jusqu'en 1955, l'incidence des sorties des capitaux privés sur l'état de la balance des paiements, qui devait s'affirmer par la suite comme un des facteurs principaux du déficit extérieur américain, est demeurée réduite.

IV. 1 k) Le dollar et les réserves mondiales.

Après la guerre de Corée et la crise de Suez, la situation du dollar peut se résumer ainsi: il n'est plus monnaie rare, mais sa position internationale demeure très forte.

Par ailleurs, le montant global des paiements effectués par les Etats-Unis aux pays étrangers a permis à ceux-ci d'augmenter leurs achats aux Etats-Unis tout en procédant à la reconstitution de leurs réserves de change.

Comment alors les paiements américains à l'étranger ont-ils eu tendance, de 1952 à 1957, à dépasser les recettes américaines alors que ces pays bénéficiaient de réserves appréciables en dollars qui devaient leur permettre d'acheter davantage aux Etats-Unis? Les Européens ont répondu en disant que, ne disposant pas de réserves suffisantes pour faire face aux fluctuations imprévisibles des recettes extérieures, ils ont voulu limiter les importations en dollars des Etats-Unis aux biens prioritaires et conserver le solde de leurs recettes en dollars.

Par contre, le dollar l'emporte sur la livre comme devise préférée dans les échanges internationaux: à partir de 1956, les devises mondiales en dollars sont supérieures à celles en livres sterling. Cette situation est due à l'inconvertibilité de la livre alors que le dollar reste complètement convertible en or. Cette période voit la consécration du dollar comme monnaie clé ou monnaie de réserve.

IV. 1 l) Le problème du dollar (1958-1962).

La période 1956-1962 est marquée par les cinq années de déficits consécutifs et élevés succédant au rétablissement provisoire de 1957. Quelles qu'en soient les causes, l'équilibre de la balance des paiements est devenu un des objectifs majeurs de la politique économique américaine, pendant que le sort du dollar est le souci dominant des détenteurs d'avoirs en cette monnaie et au premier chef des banques centrales.

En cinq ans, de 1958 à 1962, le déficit cumulatif des Etats-Unis atteint plus de $16 milliards, soit plus du double du déficit accumulé de 1952 à 1956. Le déficit annuel moyen tourne autour de $3.1 milliards contre $1.3 milliard en moyenne de 1950 à 1957. Fait plus grave encore, ces sorties ont pour conséquences des sorties d'or dont le total dépasse $6 milliards; cet état de fait étant le signe d'une certaine baisse de confiance dans le dollar dont la solidité paraissait auparavant inattaquable. Par ailleurs, les avoirs liquides en dollars au cours de la période de 1958 à 1962 par les institutions officielles et les particuliers à l'étranger s'accroissent de près de $10 milliards. On peut ramener à trois les causes principales de ces changements bien qu'en réalité elles sont plus complexes:

a) le maintien du fardeau des charges militaires et de l'aide économique à un niveau élevé

b) la croissance rapide des transferts de fonds privés à l'étranger en deux étapes: les capitaux à long terme depuis 1956 et les capitaux à court terme depuis 1960

c) l'insuffisance relative des recettes nettes du commerce extérieur qui n'arrivent pas à rétablir l'équilibre entre les gains et les dépenses extérieures des Etats-Unis.

IV. 1 m) Les mesures prises par le président Kennedy.

En face de la balance des paiements qui se détériorait de plus en plus, le président Kenndy émit des directives destinées aux entreprises américaines ayant investi ou voulant investir à l'étranger. C'est ce que l'on a appelé les "guide lines" qui consistaient en:

a) diminuer les investissements américains à l'étranger

b) accélérer le rapatriement des dividendes

c) ce que les filiales étrangères achètent davantage aux Etats-Unis et qu'elles paient davantage de royautés

d) que toutes les mesures soient prises pour faciliter la rentrée des devises aux Etats-Unis.

Des mesures furent aussi prises dans le domaine touristique: elles encourageaient la venue de touristes étrangers aux Etats-Unis en réduisant au minimum les formalités douanières; de l'autre côté, elles décourageaient les dépenses des touristes américains à l'étranger en diminuant le montant des dollars qu'ils pouvaient sortir.

IV. 1 n) Les mesures du président Johnson.

La balance des paiements américaine durant le dernier trimestre de 1964 prit très mauvaise figure. Dès cette époque on parlait de causer une pression sur le dollar telle qu'il faudrait mettre un embargo sur l'or et dévaluer le dollar... De sorte que si les grandes sociétés et banques américaines ne croyaient pas, comme les spéculateurs étrangers, qu'il y eût risque de dévaluation du dollar, elles craignaient que Washington ne restreignît plus efficacement leur liberté d'investir au dehors...

Le 10 février 65, le président Johnson passe à l'action: il annonce un programme de restrictions dites volontaires aux investissements à l'étranger:

1) les banques limitent leurs prêts
2) chaque société doit dresser la balance de paiements de ses opérations propres, considérée comme segment de la balance pour l'économie nationale...

Cette démarche permettra, à court terme, aux Etats-Unis de ne plus dévaluer leur dollar. On note en 1965 la déclaration du vice-président d'une société: "Le problème de la balance des paiements des Etats-Unis est déjà une question dépassée, et ce, à cause du programme des restrictions volontaires. Les banques doivent s'y plier et, parmi les sociétés, les très grandes, qui comptent vraiment dans le total, n'ont pas non plus le choix: il leur faut bien s'y conformer." (R 17)

Avec le programme volontaire, les Etats-Unis gagnent les premières manches mais ils sont trop sûrs d'eux et voici ce qu'en pense Paul A. Samuelson: "Il s'agit donc là d'expédients provisoires auxquels il faudra substituer d'autres moyens pour que le compte extérieur privé des Etats-Unis présente, par des voies plus sûres et régulières, l'étendue d'excédent nécessitée par les charges publiques extérieures." (R 17)

Cause majeure:

La cause majeure de la position actuelle des Etats-Unis est que "les Etats-Unis possèdent le monde et que le monde possède la monnaie américaine". (A 2) C'est par son impérialisme excessif que les Etats-Unis se sont placés dans de mauvaises postures. Les Etats-Unis devraient de préférence s'occuper de leur petit jardin plutôt que d'aller pacager dans le jardin des autres et ce à tous les niveaux: politiquement, économiquement, militairement et socialement.

La question à se poser est de savoir si, lorsque l'on encourage une maladie dans notre organisme, on ne va pas l'aggraver.

IV. 1 o) La politique commerciale américaine depuis le Kennedy Round.

On se souvient du succès éclatant qu'ont connu les négociations du Kennedy Round, après quatre ans de recherches et de pourparlers sur les tarifs douaniers et la possibilité imminente d'un abolissement de 65% des barrières tarifaires.

Que reste-t-il aujourd'hui du gigantesque château de cartes qui soutenait la perspective d'une libération et d'un nouvel élan du commerce international?

Force est d'avouer que depuis quatre ans la situation communautaire est revenue à une contemplation des situations internes et que les accords tacites touchent plutôt aux problèmes individuels. L'Europe, d'une part, a accentué ses démêlés politiques visant à fortifier l'unité communautaire tandis que les Etats-Unis orientent leurs politiques commerciales différemment, en pourvoyant à leurs problèmes économiques et sociaux: guerre du Vietnam, difficultés raciales, criminalité, accroissement du chômage, drogues et pollution.

De la nouvelle orientation de ses relations émane le pressant besoin d'un "bird's eye view" sur l'angoissante augmentation des importations et les perspectives décevantes des exportations vers l'Europe. On attribue volontiers au protectionnisme américain le titre de légitimité à cause du front communautaire européen et de la puissance financière croissante du Japon.

Voici un bref schéma de ce qui s'est passé en 1969 concernant la balance des paiements et le commerce extérieur:

6 janvier: limitation des importations pour défendre le marché américain

27 février: communiqué de la Trésorerie annonçant une baisse des réserves d'or de $64 millions en janvier, soit la chute la plus forte enregistrée depuis mai 1968

4 mars: le président Nixon demande à l'Europe de réduire volontairement ses ventes aux Etats-Unis pour redresser la balance commerciale américaine et désamorcer le protectionnisme renaissant

27 mars: montant record du déficit de la balance commerciale en février: $361.8 millions contre $115 millions en janvier. La grève des dockers de la côte atlantique explique en partie ce déficit considérable.

15 mai: déficit cumulatif de la balance des paiements de $1,778 millions

26 septembre: vente de l'or au Japon: $100 millions. Demande des Etats-Unis au Japon de réduire les restrictions aux importations pour favoriser les exportations américaines vers le

Japon, et améliorer les balances commerciales et des paiements américaines avec le Japon
17 novembre: déficit cumulatif de $2.5 milliards de la balance des paiements.

IV. 1 p) La convertibilité de l'or.

En 1960, devant les déficits annuels de la balance américaine des paiements internationaux et les incertitudes sur le comportement politique interne et externe des Etats-Unis, de nombreux particuliers décidèrent d'échanger leurs dollars contre le métal jaune sur le marché de l'or londonien. Cette "ruée vers l'or" fit monter le prix du métal à $40 l'once. La Banque d'Angleterre fut incapable de soutenir le prix officiel de $35 US sur le marché londonien de l'or. Les Etats-Unis réagirent et décidèrent de créer, avec les principales banques centrales, un "pool de l'or".

Ce consortium, qui date de 1961, avait pour mission de stabiliser le marché de l'or. La contribution des Etats-Unis était de l'ordre de 50%... Malgré cette ligne de défense, une défiance envers le dollar américain était née. Pendant la période 1961-68, il y eut plusieurs troubles monétaires. Evidemment, les Etats-Unis essayèrent de limiter les sorties de dollars américains en créant des palliatifs. Parmi ceux-ci, notons les "crédits standby", les accords "swaps", les "bons Roosa" et toute une série de législations américaines envers ses citoyens.

Les Etats-Unis sous la couverture de bien vouloir protéger le système monétaire en général ne tâchaient qu'à se maintenir les reins solides. Ils ne voulaient pas croire que leur dollar pouvait perdre de l'état bien que ce fût le cas et ce depuis assez longtemps; en effet, ils préféraient écraser les autres monnaies et ainsi jouer de la loi de la conservation en poussant les autres à remanier leur monnaie plutôt qu'à dévaluer la leur. Quelle honte ils auraient eue, ces pauvres Américains, à dévaluer ce qui fait leur puissance!...

Mais la dévaluation de la livre sterling du 18 novembre 1967 et la crise de l'or qui s'ensuivit allaient porter le coup fatal au "pool de l'or". Cette dévaluation de 14.3% contribua, en effet, à détruire la confiance dans le dollar américain et amena les détenteurs de dollars à se ruer vers l'or, au détriment du dollar. De plus, la présence du marché de l'euro-dollar favorisa considérablement cette spéculation en faveur de l'or. Devant cette montée spéculative, les pays membres du "pool de l'or" décidèrent, le 17 mars 1968, d'abandonner leur organisation et de créer un double marché de l'or: un **marché officiel**, réservé aux banques centrales, qui assurerait une convertibilité du dollar américain à $35 l'once, et un **marché privé**, qui fluctuerait en fonction du libre jeu de l'offre et de la demande.

Cette décision était lourde de conséquences. Au marché de l'euro-dollar, on allait fournir un autre instrument de financement des opérations spéculatives des particuliers. Il était maintenant possible de fuir toute monnaie en faveur du dollar et le dollar en faveur de l'or, métal qui retrouvait sa suprématie d'antan. Il suffisait aux spéculateurs et aux détenteurs d'or d'effectuer des transactions sur les principales devises, à l'aide du dollar américain, pour obliger le gouvernement à dévaluer. (R 4)

IV. 2 L'INFLATION.
IV. 2 a) Les difficultés des politiques anti-inflationnistes à l'heure actuelle.

(Note: on trouvera ci-après l'essentiel d'un rapport de l'OCDE publié en juin 1971, et intitulé: **Inflation: le problème actuel.**)

I- L'inflation et la régulation de la demande.

a) La demande excédentaire qui s'est manifestée dans la plupart des pays, à une ou plusieurs reprises pendant les années 60, a été l'un des principaux facteurs responsables des tensions inflationnistes actuelles. Aussi peut-on dire qu'il n'existe pas de relations simples entre le rythme de hausse des prix d'une part, et les degrés de la pression de la demande, les taux de croissance et les niveaux de l'emploi, d'autre part.

Si les rémunérations exigées par les apporteurs de facteurs de production sont incompatibles avec la stabilité des prix pour un niveau donné de l'emploi, l'inflation n'assure le maintien de ce dernier qu'aussi longtemps que les agents économiques ne se rendent pas compte qu'ils n'obtiennent pas les revenus réels qu'ils escomptaient.

Une importance est accordée à l'explosion des salaires en France, en Italie et au Royaume-Uni, et l'ampleur des revendications de salaires en Allemagne et dans d'autres pays européens.

b) Les politiques de stabilisation.

Il est sûr que les gouvernements devraient se garder de fonder leur politique de lutte contre l'inflation sur un modèle simplifié ou purement mécanique. On devrait tendre plutôt à favoriser une approche globale de la question.

Une croissance soutenue instaure un degré raisonnable de stabilité des prix, dont elle est une condition indispensable. Pour la régulation de la demande, il importe d'essayer de prévenir l'apparition d'un excès de demande, que l'on se doit d'éliminer le plus rapidement possible.

"Le premier renseignement qui se dégage de notre expérience de l'inflation est qu'on ne doit pas la laisser démarrer." (R 15)

Les opinions divergent à savoir si, pour éviter la mal-répartition des revenus, on doit accepter une hausse de chômage ou assurer la stabilité des prix et un haut niveau d'emploi. Il reste que le mieux serait de faire la part des choses, c'est-à-dire de prendre un peu des deux et d'équilibrer le tout en activant la politique de main-d'oeuvre et en venant en aide aux secteurs les plus touchés.

II- Les causes externes de l'inflation.

a) L'importance de ce facteur.

Voici les voies par lesquelles les poussées d'inflation se transmettent d'un pays à l'autre:

1- L'influence exercée sur la demande et les revenus dans les autres pays. On modère les pressions de la demande de l'autre pays au prix de leur renforcement ailleurs.

2- Effet sur les coûts et les prix. Ceci implique une hausse des prix à l'importation et à l'exportation. Cela exerce aussi une influence sur les accords de salaire dans les industries exportatrices.

3- Incidences monétaires d'un excédent de la balance des paiements qui influent sur la création des liquidités intérieures. Ce qui implique une influence sur les dépenses et les prix intérieurs.

4- Effets psychologiques qui interviennent. L'opinion des gens est influencée par ce qui se passe dans le monde.

Donc il y a une influence des autres pays pour le problème de l'inflation. Mais il faut se garder de céder à la tentation naturelle qui pousse chaque pays à rejeter sur les autres la responsabilité des difficultés qu'il n'a su résoudre.

Il reste cependant que l'inflation intérieure est plus forte que celle venant de l'extérieur.

b) Les moyens à prendre.

Le meilleur moyen de défense contre l'inflation importée consiste à disposer d'un éventail étendu et maniable d'instruments de régulation de la demande, de façon à pouvoir réajuster le niveau de la demande intérieure en fonction des impulsions puissantes et assez imprévisibles qui peuvent provenir du monde extérieur. Ces moyens pourraient être:

a) amélioration de la production

b) extension de la libération des importations

c) abaissement des droits de douanes.

Si le problème persiste, on devrait voir au changement de parité. Pour le Canada, par exemple, la décision de laisser le dollar flottant a contribué à l'amélioration du comportement des prix. Ceci est acceptable en cas de déséquilibre fondamental des balances des paiements dû à des divergences dans l'évolution des prix entre pays, mais tout en respectant les statuts du FMI.

III- Les politiques des prix et des revenus.

La régulation de la demande ne peut assurer seule une stabilité raisonnable des prix en régime de plein emploi. Une politique des prix et des revenus est donc nécessaire. Cependant face à l'hétérogénéité des société occidentales et aux problèmes sociaux qui s'accentuent de plus en plus, l'établissement d'une politique des prix et des revenus adaptée convenablement aux problèmes économiques et sociaux s'avère très difficile. Il est donc clair que si un pays peut se contenter de la régulation de la demande et du même coup avoir une politique de plein emploi, c'est plus avantageux.

IV. 2 b) Le contexte de l'inflation américaine.

Pour les Américains et les Etats-Unis en général, les années 60 furent une période de prospérité et de développement économique assez soutenus. En effet, le perfectionnement des techniques, déjà assez avancées, fit ouvrir des portes dans plusieurs domaines. L'automobile, les usines et industries ont subi des changements très favorables à leur développement. La décennie fut caractérisée premièrement par une augmentation très marquée du produit national brut (PNB). Ce qui, en général, signifie un enrichissement pour le pays.

ANNEE	PNB	SOURCE
1963	590.5	**Statistical Abstract of U.S.A.**, 1969, p. 313
1964	632.4	idem
1965	683.9	idem
1966	743.3	idem
1967	785.0	**Time Magazine,** 19/12/69, p. 54
1968	878.0	idem
1969	954.0	idem
1970	989.5	**Time Magazine,** 3/5/71, p. 60

Deuxièmement, dans l'ensemble, le taux de sous-emploi n'a guère dépassé 3%. Les nouvelles ouvertures industrielles ont favorisé la création d'emplois, ce qui a toujours contrôlé le sur-chômage possible.

Troisièmement, l'inflation, durant la première partie de la décennie, s'est maintenue autour de 1½ à 2%. Durant les quatre dernières années, la situation se détériore. Il y a augmentation.

ANNEE	TAUX D'INFLATION
1966	3.3%
1967	3.1%
1968	4.7%
1969	5.9%

Source: **Time Magazine**, 19/11/69, p. 54.

La situation se détériorant sans cesse, le gouvernement américain décide d'agir. Il veut éviter une évolution qui menace de devenir tragique, et aussi, les dangers d'une perturbation profonde du système économique et social.

IV. 2 c) Raisons invoquées pour expliquer l'inflation.

— Gouvernement:

Une des raisons qui ont contribué à provoquer l'inflation américaine vient des écarts fiscaux commis par l'administration Nixon qui dépensa beaucoup au-delà des revenus de l'Etat sans hausser les taxes. Les dépenses furent soutenues par des emprunts sans cesse croissants.

"Nixon tirera peu d'avantages politiques à blâmer l'administration Johnson pour la présente inflation, même si le manque de Johnson de majorer les taxes en 1966 pour défrayer le coût de la guerre au Vietnam est à la source principale de l'inflation qui nous affecte présentement." (R 22)

— Corporations:

Les corporations empruntèrent largement à partir de 1968 afin de construire de nouvelles usines et acheter de nouveaux équipements. Les managers ne croyaient pas que le gouvernement prendrait des mesures pour ralentir sérieusement le marché économique.

"Pendant ce temps (1966-69), les corporations s'endettèrent afin de se pourvoir de nouveaux équipements et d'ouvrir de nouvelles usines. (Lorsque l'administration en 1968 commença à restreindre le crédit) ils continuèrent à emprunter. Leurs exécutifs ne croyaient tout simplement pas que la Réserve fédérale (Federal Reserve) restreindrait le crédit de façon aussi drastique." (R 21)

On doit se souvenir qu'en 1965-66 et 67, l'économie était stimulée par les dépenses de la guerre au Vietnam et par les dépenses en exploration spatiale. Même si les coûts augmentaient, il semblait aux corporations que la consommation s'auto-stabiliserait et qu'acheter des équipements permettait:

1- de garder une avance sur les concurrents
2- de se dispenser d'une main-d'oeuvre de plus en plus coûteuse par l'automation
3- d'éviter de payer encore plus cher pour les équipements l'an d'après.

IV. 2 d) Mesures et politiques anti-Inflationnistes.

L'administration Nixon, pour combattre l'inflation, misa sur les politiques de contrôle budgétaire et fiscal.

Mesures budgétaires ou théorie de Keynes.

Les théories de Keynes préconisent que la meilleure façon de combattre une récession est d'augmenter les dépenses publiques et de diminuer les taxes. Le pouvoir d'achat créé par l'augmentation des dépenses publiques et la diminution des taxes doit permettre aux biens de se vendre, aux industries de produire et aux gens de travailler. C'est un peu l'effet de la goutte d'huile qui fait accélérer le mouvement de l'engrenage.

Après la deuxième grande guerre, nous nous trouvions dans une situation complètement contraire aux années 30. Au lieu d'une récession, voilà que nous faisons face à une inflation due à des surchauffements dans l'économie. C'est que durant la guerre, l'effort industriel se porta sur la fabrication de matériel militaire. Les salaires étaient élevés et le taux d'emploi à son maximum. Les industries ne produisant pas de biens à usage domestique, les travailleurs économisèrent. Après la guerre, les industries se remirent à produire des biens de consommation domestique. La conversion de l'industrie demanda cependant un certain temps, de sorte que l'offre des producteurs était nettement inférieure à la demande du consommateur. Il survint une hausse des prix. On combattit l'inflation en employant la théorie de Keynes inversée. Si l'on combat une récession par l'augmentation des dépenses (gouvernementales) et la diminution des taxes, une inflation doit se combattre par une augmentation des taxes et une restriction des dépenses budgétaires. Cette loi inversée fut mise à l'essai pendant la période d'après-guerre.

Les Etats-Unis sont en état d'inflation depuis un bon bout de temps. Rappelons-nous, par exemple, la déclaration du président Johnson:

"1966 sera une nouvelle année record pour l'économie, et la croissance économique ne devrait pas s'accompagner d'une poussée d'inflation (...) Nous sommes toujours en état d'alerte, et, au moindre signe, nous agirons en conséquence.

"Nous ne sommes pas un gouvernement travailliste. Nous ne sommes le gouvernement ni des milieux d'affaires ni des agriculteurs. Nous devons tenir compte de la complexité de notre société, où si une branche se trouve en difficulté, les autres ne tardent pas à suivre le même chemin. De cette interdépendance est née une nouvelle prise de conscience de la coopération nationale qui nous a permis d'augmenter de 3.5% le produit national brut, de ramener le taux de chômage de 6.9% à 4.2%, d'accroître de 2.5% le revenu disponible des particuliers et de 8.4% les bénéfices des entreprises.

"La coopération entre le gouvernement et l'industrie a permis d'éliminer méthodiquement des productions excédentaires, ce qui devrait nous aider à faire face à nos dépenses militaires, à réduire les stockages coûteux, à résorber le déficit de la balance des paiements et à augmenter d'un milliard de dollars environ par an les recettes du Trésor national." (R 17)

Hélas nous devons reconnaître que le rêve ne s'est pas tout à fait réalisé. Les Etats-Unis sont de plus en plus en état d'inflation et ceci est causé par la hausse des salaires, et les grèves des:

- dockers du port de New York
- mineurs en Pennsylvanie
- policiers de New York
- pilotes
- cols blancs et employés postaux
- professeurs
- employés de General Motors.

Toutes ces hausses de salaire sont des mesures inflationnistes qui ne viennent pas régler le problème américain et pour parer ce fait, il y a le 28 juillet 1969 une mise en garde de M. Schutz, secrétaire au Travail, contre les conventions collectives avec augmentations inflationnistes de salaires. Il annonce que les conventions, conclues au premier semestre 1969, ont entraîné des augmentations moyennes de 7.1% par an.

Ces hausses des salaires sont causées par une hausse du coût de la vie... Pour les entreprises privées, il y a une augmentation des coûts de travail par unité de production.

Hausse des prix: en règle générale, il y a une hausse des prix pour 1969 dans presque toutes les sphères de l'économie américaine (inflation "cost push") qui se répartit ainsi:

a) augmentation des frais de main-d'oeuvre
b) augmentation des coûts des matières premières
c) augmentation des taxes sur les salaires distribués.

En fait, ces trois facteurs réagissent les uns sur les autres: les taxes sur les salariés perçus par le Gouvernement alourdissent les coûts de la main-d'oeuvre et des matières premières au stade d'industrie de transformation, puis du commerce de gros et de détail. La hausse des prix est provoquée par la surabondance des moyens de règlement introduits dans l'économie du fait des achats de dollars...

Par crainte du chômage, les consommateurs ont réduit les achats et se sont abstenus de s'endetter.

Les entreprises sont touchées par l'attitude des consommateurs: moins de demandes, besoin plus grand de crédits, et les banques réduisent les conditions qu'elles consentent aux emprunteurs.

IV. 2 e) L'inflation domestique.

A son entrée en fonction en janvier 1969, l'administration Nixon s'était fixé pour objectif d'enrayer la surchauffe par une action progressive qui devait aboutir à un ralentissement graduel et modéré de la croissance économique, mais non à un renversement de conjoncture. La fin de l'année 1969 semble marquer l'échec de cette politique: une récession paraît déjà amorcée (pour certains économistes, il s'agit d'un palier, pour d'autres, du début d'une véritable récession comparable à celle de 1957-1958), sans que pour autant l'inflation soit arrêtée.

Généralités de l'année 1969.
- le PNB réel est inférieur à 3%
- la production industrielle inférieure à 4.4%
- l'indice des prix a augmenté de 6% (la plus forte augmentation depuis près de 20 ans; les prix de gros augmentés de 4%)
- le chômage est toutefois évité pendant cette année: 3.5% en 1965 contre 3.6% en 1968
- les investissements des entreprises continuent à s'accroître pour la neuvième année consécutive
- les signes de récession semblent donc assez nets à la fin de 1969, mais l'inflation est encore persistante.

En raison de la persistance de l'inflation et en dépit du maintien de la taxe d'égalisation des taux d'intérêt, la balance des paiements de l'année 1969, sur la base des liquidités, s'est soldée par un déficit de $7 milliards environ. En revanche, sur la base des règlements officiels, l'équilibre a pu être atteint.

IV. 2 f) Les mesures de Nixon

A cette même époque, Nixon était déterminé à prendre les mesures nécessaires pour contrôler l'inflation, c'est pourquoi le président "coupa le budget fédéral qu'il hérita de l'administration Johnson de $7.5 milliards et ordonna des restrictions dans le secteur de la construction d'édifices gouvernementaux". (R 21)

La théorie de Friedman.

En plus des réductions des dépenses gouvernementales et de l'augmentation des taxes (Keynes), il y a d'autres mesures à prendre pour combattre l'inflation: diminuer la masse monétaire en circulation (Friedman). Cette mesure fut appliquée à la fin de 1968 en même temps que les mesures budgétaires.

Voici donc le graphique de l'évolution de la masse monétaire:

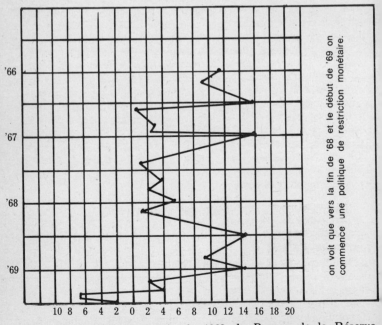

Durant la dernière partie de 1969, le Bureau de la Réserve fédérale (Federal Reserve Bureau) ne permit aucune expansion de la masse monétaire.

Les conséquences de ces politiques.

Lorsqu'on adopte des mesures anti-inflationnistes, l'argent se fait plus rare. Il y a moins d'argent mis en circulation par la Banque; il y a moins de dépenses gouvernementales et les individus plus taxés dépensent moins.

Les consommateurs et l'Etat dépensent moins, et les compagnies font moins de profits (donc on a moins de capital à dépenser). Les taux d'intérêt étant élevés, on ne peut pas se permettre d'emprunter.

La production dans les usines baisse et les profits suivent le même mouvement. Les usines renvoient temporairement une partie de leurs employés et l'économie ralentit davantage. Finalement, les prix baissent et se stabilisent.

IV. 2 g) Ce qui arriva... en fait.

Politique budgétaire: "Le gouvernement faillit à sa tâche d'équilibrer le budget. Malgré les nombreuses coupures opérées dans le budget. En n'évitant pas les déficits, le gouvernement se trouva forcé de recourir à des emprunts massifs (alors que la Réserve fédérale avait entrepris une politique de restriction de la masse monétaire). Donc, en pleine période de rareté monétaire, les emprunts du gouvernement ne firent que détourner l'usage du crédit à des fins utiles, comme le logement." (R 21)

Il va sans dire que le taux d'intérêt grimpa très haut.

— Comportement de l'industrie.

Même si les industries ne fonctionnaient qu'à 90% de leur capacité, les managers d'entreprises se lancèrent dans l'expansion de leur industrie à un rythme inégalé. On achetait la machinerie et on stockait les matières premières pour éviter de nouvelles montées des prix.

— Evolution des réserves monétaires des corporations.

"En dépit d'une forte baisse de leurs capitaux (depuis 1966 on assistait à une disparition et une baisse du capital), du coût élevé des emprunts et de la non-utilisation d'un fort pourcentage de leur capacité de production, les dépenses pour des usines et de l'équipement ont grimpé continuellement durant l'année 1969 et même l'année 1970." (R 7)

Le gouvernement ne réussit pas à équilibrer son budget. Les corporations, après avoir épuisé leurs propres capitaux, drainèrent le marché des capitaux.

Dans ce contexte, on comprend la lutte que se livrèrent les corporations et les institutions pour s'accaparer de l'argent disponible. Le secteur institutionnel du marché financier dut recourir à des taux élevés d'intérêts pour se gagner le marché des capitaux. Dans plusieurs cas, augmentation des taxes et du coût de la vie. Le marché des capitaux dans le secteur institutionnel présente une structuration hiérarchisée:

ANNEE	% D'INTERET	EMPRUNTEUR	
1969	7½%	Fédéral canadien	
1969	8¼%	Provinces	
1969	8½%	Prêts des banques	
1969	8¾%	Municipalités	
1969	9½-9¾%	Prêts hypothécaires	(J 2)

Suivit une dégringolade des valeurs boursières avec la baisse des profits des actions des corporations. Les corporations vendant moins, les profits étaient moins élevés. De plus, elles devaient consacrer une forte partie de ces profits déjà diminués à payer l'intérêt élevé des papiers commerciaux. Aussi, les valeurs institutionnelles donnaient un taux d'intérêt élevé.

IV. 2 h) Situation actuelle de l'économie.

a) le chômage demeure élevé
b) la bourse est très nerveuse, les hausses n'ont pas repris
c) le profit des corporations va revenir à ce qu'il était, il y a environ cinq ans, c'est-à-dire de $77.9
d) le PNB, au lieu d'atteindre le chiffre magique des trillions, sera de $993 billions.
e) au début de 1969, Nixon avait promis un budget équilibré pour 1970-71, puis un léger déficit de $1.39, mais l'on s'accorde maintenant pour affirmer que l'on devra faire face à un déficit de $13.9
f) bien que l'inflation ait diminué, elle se maintient dans les 4%
g) nous sommes dans ce que les Américains appellent "inflationary recession"; nous subissons en même temps et les inconvénients de l'inflation, et les inconvénients de la récession.

Pourquoi sommes-nous dans une situation d'"inflationary recession"?

Parce que les gouvernements et les corporations font des dépenses excessives. Mais il semble en plus que d'autres facteurs jouent maintenant un rôle important et changent la nature de l'inflation que nous vivons. Il y a donc deux grands types d'inflation:
- l'inflation de l'acheteur
- l'inflation du vendeur.

a) Inflation de l'acheteur.

C'est le type de l'inflation traditionnelle. Elle est due à une demande excessive de biens par rapport à une capacité de production. Ce type d'inflation est facile à concevoir en période de guerre, comme ce fut déjà le cas. En période de paix, avec une économie monétaire équilibrée, le problème de l'inflation de l'acheteur ne devrait pas se poser puisque le PNB = le RNB = le DNB. La consommation ne peut augmenter brusquement, et la capacité de production suit très facilement l'augmentation graduelle de la consommation. L'inflation actuelle ne viendrait donc pas d'un incapacité technologique à accroître la production devant une hausse brusque de la demande. Au contraire, nous sommes aux prises avec des surplus de toutes sortes.

b) Inflation du vendeur.

Si l'on compare le secteur des biens durables avec celui des biens non durables, on verra aussitôt que le prix des biens durables s'est accru de 5% entre 1962-69. En plus le prix des biens non durables s'est accru de 20-23% entre 1962-69. Pourtant, en période de paix, la consommation des biens durables a tendance à augmenter plus rapidement que la consommation des biens non durables. Les Américains auraient-ils augmenté de manière drastique leur consommation de biens non durables (boeuf, vêtements, légumes...)?

En quoi donc consisterait l'inflation du vendeur? "L'inflation du vendeur résulte des pressions qu'exercent des vendeurs organisés, syndicats ou entreprises, sur les salaires et les prix." (J 3)

Ce type d'inflation a surgi depuis environ 10 à 12 ans, c'est-à-dire depuis le moment où les vendeurs organisés se sont arrogés le pouvoir d'influer sur les prix. Il se caractérise par sa permanence; les mesures traditionnelles pour combattre l'inflation ne peuvent la juguler.

Causes de l'inflation du vendeur:

- structures monopolistiques des corporations
- création artificielle de la rareté de la main-d'oeuvre
- accroissement constant du coût des étapes tertiaires.

Durant cette période (1965-70), l'indice du coût des prix de gros augmentait de 15.5% tandis que l'indice des prix de détail augmentait de 26.1%. (R 8)

"L'économiste Martin Ganesburger croit que l'inflation est plus difficile à maîtriser maintenant qu'en 1950, en partie parce que les personnes employées dans les industries de services et par le Gouvernement constituent une part beaucoup plus grande des personnes sur le marché du travail. Ceci fait qu'il est beaucoup plus difficile de pallier les augmentations de salaires par une augmentation correspondante de la productivité. Le rendement par homme/heure d'un instituteur, d'un pompier, d'un barbier ou d'une garde-malade peut difficilement être mesuré, encore moins augmenté. L'indice des prix de gros, qui n'inclut pas les services, a grimpé beaucoup plus lentement que le prix au consommateur.'' (R 8)

IV. 3 L'EXPANSION MILITAIRE.

Les Etats-Unis ont commis en 1965 la faute impardonnable de vouloir financer leur engagement total au Vietnam sans accroissement de leurs recettes fiscales. Ils ont connu, pour cette raison, une inflation de la demande, avec déficit budgétaire, suremploi des hommes et des machines, abaissement des gains de productivité, effondrement de l'excédent commercial, hausse rapide des prix de gros et de détail... Par ce fait la progression économique pour l'ensemble de l'année 1965 ne s'expliquera que dans une très faible mesure par l'augmentation des dépenses qu'aura exigé le renforcement des positions militaires américaines au Vietnam...

"L'appareil militaire des Etats-Unis constitue sa plus puissante entreprise économique. Comme la richesse des Etats-Unis plonge ses racines un peu partout dans le monde, pour la protéger, il ne suffit pas d'assurer la défense entre l'Atlantique et le Pacifique, entre la frontière du Mexique et celle du Canada. Il faut aussi défendre les mines et les plantations d'Amérique latine ou d'Asie du Sud-Est, les gisements pétroliers du Moyen-Orient, les fabuleuses ressources naturelles du Bouclier canadien, les richesses encore à peine exploitées de l'Afrique, le potentiel industriel de l'Europe occidentale où affluent les capitaux américains."

(**L'empire américain,** Julien C., Paris 1968)

Le budget américain de la défense est passé de $1.498 millions en 1940 à $75.487 millions en 1968, augmentant ainsi de 1.5% à 8.1% du produit national brut. Les Etats-Unis on su s'imposer sur plusieurs sols: en 1954, après le départ des forces françaises, puis à l'évacuation de la Grande-Bretagne; on les retrouvera en Indochine; ils installeront des bases à l'est de Suez; on remarquera que les Etats-Unis n'ont pas pu rester à l'écart de deux conflits mondiaux qui ont consacré leur suprématie: ils n'ont pas pu esquiver leurs interventions en Corée comme au Vietnam; leur appareil militaire est impliqué sur les cinq continents.

La plus puissante machine de guerre du monde moderne est

donc aussi, par son budget, par sa main-d'oeuvre et par la masse des salaires distribués, la plus importante industrie des Etats-Unis. En effet, cet énorme appareil militaire emploie sous la direction du Pentagone, plus de cinq millions de personnes, auxquelles il convient d'ajouter cinq autres millions de salariés travaillant directement, dans l'industrie privée, à la production d'équipements militaires.

Toute cette expansion coûte cher aux Américains: ainsi avec plus de $75 milliards en 1968, il absorbe 56% du budget fédéral, 8% d'un produit national brut.

Le prix de la guerre au Vietnam contribue certes au déficit de la balance américaine des paiements.

En s'imposant sur toutes les scènes du monde, sous le principe de vouloir protéger les nations du communisme sans cesse grandissant, les Américains réalisent probablement que cette opération leur coûtera cher à long terme. En effet, il semblerait que les Etats-Unis s'engagent un peu trop pour maintenir leur idéologie économique, politique et sociale à travers tout le globe.

Tous ces investissements en sol étranger (on peut parler d'investissement dans le cas d'une expansion militaire: les capitaux en sont les hommes et les armes) sont néfastes à l'équilibre de la balance des paiements du pays.

Comme c'est par sa puissance économique que les Etats-Unis ont su se créer une telle puissance militaire, il est à se demander si, faible économiquement, ledit pays négligerait toutes ses interventions en sol étranger. En d'autres mots: pourquoi ne se limiterait-il pas à protéger et à développer son sol natal; ainsi pourrait être empêchées les guerres. Il est vrai qu'économiquement la guerre est utile, mais en observant l'attitude des Etats-Unis vis-à-vis des guerres, il est à noter qu'une application trop rigoureuse d'une puissance militaire peut engendrer des déséquilibres économiques.

IV. 4 AUGMENTATION DE LA PRODUCTIVITE DES AUTRES PAYS.

Un autre facteur secondaire peut facilement expliquer la position précaire des Etats-Unis: c'est l'augmentation de la productivité du Japon et de l'Europe.

Nul ne doute de la présence des Etats-Unis comme "géant commercial" mais l'on doit honnêtement remarquer qu'ils n'affichent plus seuls cette prestance.

En effet, le **Japon** s'impose de plus en plus dans plusieurs domaines. Pour ne citer qu'un exemple, pensons à la montée des automobiles japonaises: Datsun et Toyota ne font-ils pas une fière lutte aux entreprises américaines dans ce domaine? On notera également qu'après les décisions unilatérales prises le 15 août 1971 par les Etats-Unis, le Japon a pris ses distances vis-à-vis de son principal allié. On ne peut négliger le fait que cette attitude pourrait être désastreuse car on connaît sa puissance économique, surtout dans le domaine de l'exportation.

Par son hégémonie économique des dernières années, le Japon a certes divisé le revenu habituel des Américains dans le commerce international.

Le Japon, avec l'aide américaine d'abord, a su et saura encore faire parler de lui. C'est un pays encore à ses premiers balbutiements dans le commerce international; il saura bien prendre de la maturité et réussira à s'épanouir davantage dans ce rôle qui répond de plus en plus à ses aspirations de puissance mondiale.

Une autre puissance qu'il est bon de souligner est celle de l'Europe et de son Marché commun sans cesse en expansion. On ne peut douter de l'impact dont jouit le Marché commun dans le monde des affaires. Cette association européenne possède maintenant les capitaux nécessaires pour améliorer sa situation économique dans ses pays et à l'étranger et ce au détriment des Américains. Un autre facteur est à l'avantage du Marché commun, c'est la solidarité de l'équipe qu'il réunit; cette force lui permettra de s'engager et de risquer davantage dans ce défi qui s'offre à lui.

C'est également pour ces raisons qu'il existe un certain dilemme entre les Etats-Unis et le Marché commun.

IV. 4 a) Le dilemme entre les Etats-Unis et le Marché commun.

Le gouvernement américain finit par constater, avec regret, que lui seul pratiquait le libre-échange et que la balance des paiements souffrait d'un embonpoint de plus en plus accusé. Entraîné par le climat d'incertitude, il n'hésita pas à reviser son régime commercial.

Lors du lancement d'un nouveau programme destiné à redresser l'économie de leur pays, les U.S.A. ont vertement critiqué la mesure déflationniste européenne créée par la Taxe sur la valeur ajoutée. Le président Johnson demande une convocation des membres du GATT qui rend ainsi son verdict:

"La TVA, frappant la production nationale de la même façon que les biens importés, ne peut être considérée comme une entrave au commerce, pas plus d'ailleurs que les taxes sur les ventes appliquées selon les mêmes principes aux Etats-Unis." (6)

Il n'en reste pas moins que l'impact de cette malheureuse affaire n'a cessé depuis lors de se faire sentir en encourageant les tendances protectionnistes. Une guerre tarifaire dûment engagée entre les têtes des plus fortes puissances occidentales coupe les liens fébriles d'une entente jeune de quatre années seulement.

Depuis lors, le gouvernement américain, sous les pressions d'influents capitalistes, a cédé à la facilité et succombé au fatalisme, en adoptant une loi sur la sécurité intérieure du pays, prônant la diminution des importations européennes.

A partir de cette caractéristique, on peut mettre en lumière et dénoncer l'influence que jouent de prestigieux hommes d'affaires sur la politique du président des Etats-Unis. Par son intermédiaire, on reproche à l'Europe de violer les lois fondamentales du GATT approuvées et conclues pour tous les jeunes partisans, et de favoriser des échanges unilatéraux au sein du Marché commun. Or le Marché commun, qui a le droit de défendre son rang au sein du guêpier mondial, affirme ne pas vouloir étendre son expansion, mais bien favoriser les relations internationales. Le secrétaire général du Marché commun s'exprime en ces termes:

"La Communauté met tout en oeuvre pour que son action à l'égard des pays sous-développés soit un facteur d'équilibre bénéfique sur le plan de la politique mondiale et favorable à l'expansion générale des échanges et du développement économique." (6)

Enfin, du point de vue juridique, les relations de libre-échangisme sont conformes au texte du GATT; qui envisage la possibilité d'établir des unions douanières pour "augmenter la liberté du commerce et mettre en oeuvre un plan de préférences généralisées au profit des pays en voie de développement."

Somme toute, la justification sensée et objective des plaintes américaines ne saurait trouver appui du côté européen, puisque l'évolution technologique, industrielle et agricole connaît une faveur sans pareille aux Etats-Unis.

Quels seront les effets de la surtaxe de 10%? Hypothèse indéniable, elle va renforcer les mesures protectionnistes très puissantes chez les Européens et elle accentuera la ténacité des barrières de communication.

Les malentendus n'ont pas été éclaircis, les points de vue pas échangés et les exagérations pas combattues. C'est le début d'une guerre froide commerciale.

Certes, on ne peut sous-estimer la puissance du Marché commun; en effet, le Marché commun demeure une institution en perpétuelle expansion: on n'a qu'à se rappeler l'entrée de la Grande-Bretagne dans la Communauté économique européenne.

Par l'apparition d'un nouveau "géant commercial" qui pourra rivaliser avec l'Amérique, il est à se demander si cette rivalité va intensifier les frictions entre l'Europe et les Etats-Unis, frictions accrues par les décisions prises le 15 août 1971 par le président Nixon. L'élargissement de la Communauté pourra peut-être entraîner un bloc protectionniste qui suscitera des conflits sérieux et engendrera une guerre commerciale avec les Etats-Unis.

Les Américains occupent encore une place importante dans l'économie mondiale mais ils ne doivent pas prendre à la légère les puissances européennes et japonaises. L'impérialisme économique des U.S.A. se voit en face de concurrents sérieux, ce qui rend difficile l'application d'un système monétaire où leur monnaie maintiendrait une certaine valeur.

Ce que les Américains pratiquaient depuis longtemps est maintenant aux mains de concurrents étrangers. L'exemple servi par les Américains est maintenant mis en application par différents pays.

Vis-à-vis de l'importance que prennent certains pays dans l'affaire Nixon, il serait bon de souligner les différentes réactions qu'ont eues ces pays face aux mesures restrictives, en août 1971.

IV. 4 b) Réactions dans différents pays.

La cause de la panique dans différents pays est justement la surtaxe de 10% imposée sur les importations aux Etats-Unis.

A la Commission européenne, on ne se gêne pas de dire que les décisions américaines dans le domaine commercial "affectent gravement les intérêts de la Communauté". Ce défi américain cherche à contraindre l'Europe et le Japon à réévaluer leurs monnaies.

Au Japon, c'est la véritable panique, 50 millions d'actions ont été mises en vente à n'importe quel prix. Dans les grands magasins et chez les bijoutiers, la vente d'or et d'articles en or a quintuplé. Le Japon est d'abord visé du fait que sa monnaie, le yen, est fortement sous-évaluée. Certains parlent même de fermeture à la bourse de Tokyo. Suite à une conférence économique, le parti communiste a déclaré que sous prétexte de coopération, les Etats-Unis désirent imposer des exigences déloyales au Japon et au gouvernement Sato qui continueraient à servir les intérêts des Etats-Unis au détriment du peuple japonais. Un journal japonais déclare que le Japon doit s'employer à dégager son économie du "dollar" auquel elle est depuis si longtemps habituée. On évoque aussi que l'économie japonaise devrait prendre ses distances envers les Etats-Unis; mais qu'ensemble ils auraient plus à gagner qu'à perdre.

De tout ça, la vérité serait que le Japon n'a plus confiance dans la façon dont le président Nixon mène sa politique envers la Chine et craint d'en faire les frais. Le Japon soupçonne aussi les Etats-Unis de vouloir améliorer leurs relations avec la Chine populaire avant que le Japon n'ait eu le temps de le faire lui-même.

Au cours de la conférence ministérielle, la délégation japonaise a annoncé l'élimination des contingents d'importations sur huit ou neuf catégories de produits et la réduction des droits de douane sur un nombre indéterminé d'autres produits. Ces propositions japonaises constituent un léger progrès, mais ne satisfont pas encore les demandes des Etats-Unis pour une libération complète et rapide au commerce japonais. Le Japon a demandé l'élimination de la surtaxe de 10% sur les importations; mais les Américains n'ont pas bougé sur cette question si ce n'est qu'elle serait maintenue aussi longtemps qu'une revision des parités entre les monnaies des pays industriels et qu'une réforme du système monétaire international n'auront pas donné aux Etats-Unis la certitude que leur balance de paiements aurait le moyen de se stabiliser. Le problème de la valeur du yen par rapport au dollar n'a pas été amélioré.

Les deux pays se sont tout de même mis d'accord sur une session destinée à conclure des accords bilatéraux dans le domaine du commerce et des investissements dans le cadre du nouveau système monétaire.

Le climat de l'Allemagne fédérale est au pessimisme. On espère à Bonn que la limitation des exportations aura un certain effet bénéfique.

A Londres, on croit que les mesures prises par le gouvernement américain risquent d'entraver le relèvement de l'économie britannique.

A Paris, on veut voir dans la crise actuelle la nécessité

affirmée d'une union monétaire et d'une coopération économique européenne qui font défaut encore en Europe.

Aucune émotion n'est visible en Suisse. Mais, on souhaite que la situation actuelle et ses répercussions sur les échanges internationaux s'effacent le plus tôt possible et l'on propose la participation de la Confédération à une éventuelle conférence monétaire internationale.

Les Six, eux, sont décidés à envisager un réajustement des parités monétaires au niveau international à la condition que les Etats-Unis suppriment la surtaxe commerciale de 10% sur les importations. Ils déclarent aussi que ces mesures empêchent la formation de taux de change réalistes. Elles font obstacle au réalignement des parités.

Par conséquent, la Communauté européenne demande l'abolition des mesures prises par Washington.

La demande formulée par les pays du Tiers-Monde en vue de l'exemption des récentes mesures prises par l'administration Nixon fut refusée.

Ces pays en voie de développement font valoir les "effets défavorables" de la surtaxe de 10% sur leurs exportations d'articles manufacturés et semi-finis et déplorent la réduction de 10% décidée sur l'aide économique à l'étranger.

Les pays du Tiers-Monde demandent eux aussi l'abolition de la surtaxe et désirent que soit reconnue dans le nouveau système monétaire international la nécessité de créer des liquidités supplémentaires.

LE PLAN NIXON.

V. LE PLAN NIXON.

Les mesures du plan Nixon se divisent sur deux plans: le plan intérieur et le plan extérieur.

A l'intérieur même des Etats-Unis, l'administration Nixon a prévu quatre mesures:

1- Le gel des prix, des salaires et des loyers pour une période de trois mois (90 jours). Cette mesure sera appliquée par un conseil du Coût de la vie, présidé par le secrétaire au Trésor, M. John Connally. Après la période de quatre-vingt-dix jours, les prix et salaires seront stabilisés.

2- La supression de la taxe de 7% sur l'achat de voitures américaines. Cette mesure a pour but de stimuler la production et l'emploi dans le secteur automobile.

3- Pour un an, une détaxation de 10% sur les investissements industriels, ramenée ensuite à 5%. La commission a décidé par la suite de ramener ce taux à un taux uniforme de 7%. Cette détaxation fera hâter le renouvellement des biens d'équipement et servira à créer de nouveaux emplois.

4- Une déduction personnelle d'impôt de $50. pour chaque contribuable américain. Ceci permettra un plus grand pouvoir d'achat pour la totalité du peuple américain.

Quatre autres mesures s'appliquent à l'extérieur des Etats-Unis:

1- Une surtaxe de 10% sur toutes les importations. Cette mesure a pour but de relever la balance commerciale des Etats-Unis qui a été en déficit au cours des derniers mois.

2- L'inconvertibilité du dollar en or. En fait, c'est peut-être la fin du système monétaire mis au point à Bretton Woods; le dollar américain est flottant.

3- Une réduction des dépenses fédérales de $4.7 milliards. Cette réduction sera due à une réduction de 5% des emplois fédéraux, à un gel de salaires de six mois dans le fonctionnarisme, et à un ajournement des réformes prévues en matière de redistribution des revenus et des programmes d'assistance.

4- L'aide à l'étranger sera réduite de 10%.

Le plan Nixon a pour buts de:

1- relancer l'économie américaine
2- juguler l'inflation
3- créer plus d'emplois
4- arrêter les hausses du coût de la vie
5- protéger le dollar contre les attaques des spéculateurs financiers internationaux
6- forcer les monnaies étrangères à se réévaluer par rapport au dollar américain
7- réajuster la balance commerciale déficitaire des Etats-Unis
8- diminuer le rôle du dollar et de l'or comme réserves.

V. 1 LA SIGNIFICATION DU PROGRAMME DU PRESIDENT.

En décrétant l'embargo sur l'or, le gouvernement américain rompt l'engagement qu'il avait pris au moment des accords de Bretton Woods (1944) de convertir en or tiré de ses propres réserves tous les dollars qui lui seraient présentés par les banques centrales des autres pays. Le dollar n'est plus désormais convertible en or. Il devient une vulgaire monnaie-papier. C'est un coup dur pour son prestige: il est à l'abri des pressions des banques nationales du monde entier.

D'autre part, en instituant la surtaxe de 10%, les achats faits à l'étranger seront sensiblement diminués et la balance commerciale pourra ainsi être redressée. En diminuant l'aide extérieure de 10%, les dépenses extérieures seront diminuées de quelques centaines de millions de dollars.

Pour freiner l'inflation, le président Nixon gèle les prix et les salaires pendant trois mois. Il réduit les dépenses budgétaires de 5%. Cela devrait normalement provoquer un ralentissement des affaires. Pour parer à cette éventualité, un dispositif de relance est mis en place: exonérations fiscales (7% de taxe sur les automobiles), allégement de l'impôt sur le revenu, nouveaux crédits pour l'aide à l'emploi.

V. 2 EXPLICATIONS DES MESURES NIXONIENNES.

V. 2 a) La lutte contre le chômage.

On sait que les Etats-Unis ont un problème de chômage.

Il est dû en partie aux soldats retirés du Vietnam.

Le chômage, en taux, est moins élevé que pendant les périodes de paix des années 60, mais M. Nixon entend réduire ce taux de chômage à 4%. Aussi pour employer les soldats à autre chose que la guerre, il propose d'investir fortement dans la technologie. Le président propose ainsi une taxe de 10% de crédit en vue d'un développement plus rapide d'emplois et une autre taxe de crédit de 5%.

La première taxe est en cours depuis le 15 août 1971 et sautera le 15 août 1972. La deuxième sera effective après cette dernière date. "This tax credit for investment in new equipment will not only generate new jobs, but will raise productivity and make our goods more competitive in the years ahead." (A1)

M. Nixon propose encore d'enlever la taxe de 7% sur l'automobile, ce qui réduira le coût de l'automobile de $200.00 environ.

Les prix étant en baisse, la demande s'élèvera. Sur ce principe d'économie M. Nixon entend ainsi augmenter l'achat des automobiles et principalement celles des Etats-Unis puisque par contrecoup le 10% de taxe imposé aux importations élèvera le coût de celles des pays étrangers.

Aussi cette exemption éveillera l'économie américaine, et pour la productivité et pour la création de nouveaux emplois, puisque pour 100,000 voitures additionnelles vendues le nombre d'emplois augmentera de 25,000.

En ce qui concerne l'éveil de l'économie en général Nixon propose d'avancer la date de l'exemption de la taxe sur l'impôt (prévue pour le 1er janvier 1973) au 1er janvier 1972. Cette exemption augmentera le potentiel d'achat de $50.00 pour chaque individu. Ainsi la vente en général augmentera ainsi que la productivité.

En regard de futurs emplois à créer pour les 20 millions de jeunes Américains qui entreront sur le marché du travail, Nixon entend proposer une nouvelle taxe pour la recherche et le développement de nouvelles industries et de nouvelles technologies. De cette façon le marché du travail s'ouvrira assez pour employer les nouveaux venus.

"Tax cuts to stimulate employment must be matched by spending cuts to restrain inflation." (A1) Face à ces paroles, le président se devait de couper de $4.7 billions les dépenses gouvernementales. Les revenus étant coupés par ces détaxations, le gouvernement se devait de restreindre ses dépenses, d'annuler les augmentations prévues pour les fonctionnaires fédéraux et enfin de diminuer de 5% le nombre de fonctionnaires et de 10% l'aide économique à l'étranger.

V. 2 b) La lutte contre l'inflation.

De 6% en 1969, la poussée inflationniste passe à 4% en 1970. Mais le but est loin d'être atteint, puisque l'objectif envisagé est de 2 à 3% d'ici la fin de 72. Aussi M. Nixon ordonne de figer les prix, salaires et dividendes des Etats-Unis, pour une période de 90 jours. Il est à remarquer que ces mesures ne sont que temporaires.

Un conseil sur le Coût de la vie a été formé et s'occupe de contrôler le gel des prix et des salaires.

"Working together, we will break the back of inflation, and we will do it without the mandatary wage price controls that crush economic and personal freedom." (A1)

V. 2 c) La défense du dollar.

Vu que les sept dernières années ont donné des crises monétaires à raison d'une par an, et vu que les spéculateurs étrangers s'en prennent au dollar américain, Nixon a ordonné la non-convertibilité du dollar américain en or. Par cette mesure les Etats-Unis ont stabilisé leur dollar, et ainsi contré le déficit de la balance des paiements.

En plus, Nixon impose aux autres nations une taxe de 10% sur ses importations. "Bien que le président ne l'ait pas précisé, elle ne s'applique qu'à environ la moitié du volume des importations." (J4)

En effet cette taxe ne touche pas les importations comme le pétrole, la viande, le sucre, les produits laitiers. Il y a aussi les importations qui ne sont pas touchées par les droits de douane comme le poisson, le café et les matières premières.

Pour ce qui reste des importations frappées par la taxe, une question se pose. Qui supportera cette taxe? Ce n'est sûrement pas le consommateur américain puisque celui-ci a son salaire figé. Aussi les importateurs devront se réunir pour marchander le poids de la taxe.

D'après Nixon, ce sont les taux d'échange injustes des spéculateurs étrangers qui l'ont poussé à cette mesure.

D'après Nixon, toujours, le résultat de ces mesures sera une compétition plus juste à l'échelle des marchés mondiaux. "The time has come for exchange rates to be set straight and for the major nations to compete as equals. There is no longer any need for the United States to compete with one hand tied behind her back." (A1)

Washington, Aug. 16, 1971 — Following is the text of a presidential executive order issued Aug. 15 entitled **Providing for Stabilization of Prices, Rents, Wages, and Salaries:**

Whereas, in order to stabilize the economy, reduce inflation, and minimize unemployment, it is necessary to stabilize prices, rents, wages, and salaries; and

Whereas, the present balance of payments situation makes it especially urgent to stabilize prices, rents, wages, and salaries in order to improve our competitive position in world trade and to protect the purchasing power of the dollar:

Now, therefore, by virtue of the authority vested in me by the Constitution and statutes of the United States, including the Economic Stabilization Act of 1970 (P.L. 91-379, 84 stat. 799), as amended, it is hereby ordered as follows:

Section 1. (a) Prices, rents, wages, and salaries shall be stabilized for a period of 90 days from the date hereof at levels not greater than the highest of those pertaining to a substantial volume of actual transactions by each individual, business, firm or other entity of any kind during the 30-day period ending August 14, 1971, for like or similar commodities or services. If no transactions occurred in that period, the ceiling will be the highest price, rent, salary or wage in the nearest preceding 30-day period in which transactions did occur. No person shall charge, assess, or receive, directly or indirectly in any transaction prices or rents in any form higher than those permitted hereunder, and no person shall, directly or indirectly, pay or agree to pay in any transaction wages or salaries in any form, or to use any means to obtain payment of wages and salaries in any form, higher than those permitted hereunder, whether by retroactive increase or otherwise.

(b) Each person engaged in the business of selling or providing commodities or services shall maintain available for public inspection a record of the highest prices or rents charged for such or similar commodities or services during the 30-day period ending August 14, 1971.

(c) The provisions of sections 1 and 2 hereof shall not apply to the prices charged for raw agricultural products.

Section 2. (a) There is hereby established the cost of living Council which shall act as an agency of the United States and which is hereinafter referred to as the Council.

(b) The Council shall be composed of the following members: the Secretary of the Treasury, the Secretary of Agriculture, the Secretary of Commerce, the Secretary of Labor, the Director of the Office of Management and Budget, the Chairman of the Council of Economic advisers, the Director of the Office of Emergency preparedness, and the special Assistant to the President for consumer affairs. The Secretary of the Treasury shall serve as Chairman of the Council and the Chairman of the Council of Economic advisers shall serve as Vice Chairman. The Chairman of the Board of Governors of the Federal Reserve System shall serve as Adviser to the Council.

(c) Under the direction of the Chairman of the Council a special Assistant to the President shall serve as Executive Director of the Council, and the Executive Director is authorized to appoint such personnel as may be necessary to assist the Council in the performance of its functions.

Section 3. (a) Except as otherwise provided herein, there are hereby delegated to the Council all of the powers conferred on the President by the Economic Stabilization Act of 1970.

(b) The Council shall develop and recommend to the President additional policies, mechanisms, and procedures to maintain economic growth without inflationary increases in prices, rents, wages, and salaries after the expiration of the 90-day period specified in Section 1 of this order.

(c) The Council shall consult with representatives of agriculture, industry, labor and the public concerning the development of policies, mechanisms and procedures to maintain economic growth without inflationary increases in prices, rents, wages and salaries.

(d) In all of its actions the Council will be guided by the need to maintain consistency of price and wage policies with fiscal, monetary, international and other economic policies of the United States.

(e) The Council shall inform the public, agriculture, industry, and labor concerning the need for controlling inflation and shall encourage and promote voluntary action to that end.

Section 4. (a) The Council, in carrying out the provisions of this order, may (I) prescribe definitions for any terms herein, (II) make exceptions or grant exemptions, (III) issue regulations and orders, and (IV) take such other actions as it determines to be necessary and appropriate to carry out the purpose of this order.

(b) The Council may redelegate to any agency, instrumentality or official of the United States any authority under this order, and may, in administering this order, utilize the services of any other agencies, federal or state, as may be available and appropriate.

(c) On request of the Chairman of the Council, each executive department or agency is authorized and directed, consistent with law, to furnish the Council with available information which the Council may require in the performance of its functions.

(d) All executive departments and agencies shall furnish such necessary assistance as may be authorized by Section 214 of the Act of May 3, 1945, 59 Stat. 134 (31 U.S.C. 691)

Section 5. The Council may require the maintenance of appropriate records or other evidence which are necessary in carrying out the provisions of this order, and may require any person to maintain and produce for examination such records or other evidence, in such form as it shall require, concerning prices, rents, wages, and salaries and all related matters. The Council may make such exemptions from any requirement otherwise imposed as are consistent with the purposes of this order. Any type of record or evidence required under regulations issued under this order shall be retained for such period as the Council may prescribe.

Section 6. The expenses of the Council shall be paid from such funds of the Treasury Department as may be available therefore.

Section 7. (a) Whoever willfully violated this order or any order or regulation issued under authority of this order shall be fined not more than 5,000 dollars for each such violation.

(b) The Council shall in its discretion request the Department of Justice to bring actions for injunctions authorized under Section 205 of the Economic Stabilization Act of 1970 whenever it appears to the Council that any person has engaged, is engaged, or is about to engage in any acts or practices constituting a violation of any regulation or order issued pursuant to this order.

* * *

IMPLICATIONS AUX U.S.A.

VI. IMPLICATIONS AUX U.S.A.

Les derniers accords signés dans l'industrie de la sidérurgie, un peu avant les mesures Nixon, et qui se sont traduits par des augmentations de salaires d'environ 10% par an, ont aussitôt été suivis par une augmentation de 8% du prix de l'acier. Cela démontre très bien le problème d'inflation que l'administration Nixon avait à résoudre sur le plan national. En fait il fallait s'attaquer à la fois à l'inflation et au chômage, en vue de relancer l'économie et de juguler l'inflation.

La situation créée par le plan Nixon au niveau national peut se résumer ainsi: à cause de la surtaxe de 10%, les Américains achètent des produits "made in U.S.A."; ils ont d'ailleurs plus de pouvoir d'achat étant donné les allègements fiscaux et le gel des prix; or à cause de cet accroissement de la demande de la part des consommateurs, la production des biens non durables, et par le fait même de biens durables, s'accroîtra, ce qui créera des emplois et sera le générateur d'une relance économique. D'ailleurs en ce qui concerne l'industrie, le "tax investment credit" de 10% et l'"autotax", où il y a allégement de 7%, ainsi que de gel des salaires, permettront d'en arriver plus facilement au but fixé.

"Peace and Prosperity" est le nouveau slogan que Nixon a mis de l'avant à l'occasion de la fête du travail.

Paul McCragen du "Council of Economic advisers" prévoit 500,000 nouveaux emplois pour la prochaine année et un taux de chômage inférieur à 5%. (R 15)

Avant les mesures, le chômage se chiffrait à 5.8% en juillet, et 6.1% en août. L'industrie n'était pas à cette époque en excellente posture; de fait, on estime que les industries ne produisaient qu'à 75% de leur capacité. On peut dire que c'était seulement l'industrie des biens durables et celle de la construction qui se portaient vraiment bien.

Un autre phénomène intéressant a été soulevé par Vincent Hearson, président et directeur général de IBM. Face à la montée des prix et à l'élévation du taux de chômage, les gens voyaient d'un mauvais oeil l'avenir de l'économie américaine. Leur réaction est comparable au comportement des pays étrangers qui, devant le déficit commercial des Américains, n'avaient plus confiance en leur monnaie. Les Américains pour leur part ont démontré cette confiance, en accentuant leurs épargnes, donc en consommant moins, ce qui est très anormal dans un pays capitaliste, où la consommation arrive première dans l'échelle de valeur.

VI. 1 A PROPOS DU CONTROLE DES PROFITS.

On sait que le plan Nixon n'établit pas de contrôle sur les profits réalisés par les compagnies, bien qu'il gèle les salaires. Ce problème a été soulevé par les syndicats, les Démocrates ainsi que par quelques éminents personnages du gouvernement. Essayons de voir ce qu'il en est.

Selon le secrétaire au Trésor, John Connaly, les profits de l'industrie américaine n'ont pas été si élevés, de fait les profits ont généralement décliné au cours des dernières années d'un degré inacceptable. En 66 ils se chiffraient à $50 billions, pour passer à $47 billions en 68 et arriver "au degré inacceptable" de $41 billions l'année dernière. Le secrétaire la Trésor croit sincèrement que le gel des prix réglera le dilemne. Toujours selon lui, les industries ont besoin de profits adéquats pour financer la modernisation des équipements. Une majoration des profits implique:

- investissements
- augmentation de la productivité
- effets sur les industries fournisseuses
- création de nouveaux emplois.

George Meany, président du AFL-CIO, demandait pour sa part, avant même les mesures Nixon, un contrôle des profits s'il y avait un contrôle des prix et des salaires. Léonard Woodtod, président de "United Auto Workers", se prononce aussi en faveur du gel des profits. Selon lui, si les profits sont bas, alors les compagnies et les industries qui font des profits plus élevés échapperont à la conséquence d'une taxe sur les excès de profits, parce qu'elles n'en auront tout simplement pas.

D'après le gouvernement, cette mesure est justifiable en période de guerre, surtout pour une compagnie fournisseuse de matériels militaires, "because no one should make a profit out of war". . . Un autre argument contre une telle politique est que cela amène l'industrie à une négligence d'économie et d'efficacité. (R 24)

VI. 2 LE COMPORTEMENT ANORMAL DU MARCHE DE L'AUTOMOBILE.

Le plan du président Nixon qui voulait stimuler l'industrie de l'automobile et assouplir la pression exercée sur elle par l'importation d'autos étrangères, a eu des effets inattendus.

Les acheteurs de voitures étrangères n'ont pas augmenté, mais ils n'ont pas diminué tel qu'escompté. Il y a peut-être une hausse dans la vente d'autos américaines, mais l'augmentation est demeurée beaucoup inférieure aux prévisions. Un agent Datsun a déclaré que rarement il avait vu un si grand intérêt de la part de l'acheteur, et un agent Oldsmobile de Détroit a dit que lorsque le président a annoncé ces mesures, c'est comme s'il avait fermé ses portes. Il reste que la plupart des vendeurs et producteurs d'automobiles américaines prédisent une augmentation des prix des automobiles étrangères et des prix stables pour les autos américaines.

Plusieurs problèmes surgissent face au gel des prix dans l'industrie automobile. On avait évalué à $200.00 ou plus la différence qu'il devait y avoir entre les modèles 71 et 72. Cependant ils doivent être vendues au même prix. Aussi les modèles 72 ont été mis sur le marché plus tôt que par le passé, et les agents sont pris avec un grand stock de modèles 71, qu'ils se doivent de laisser aller à des prix réduits, pour faire place aux modèles 72. Le consommateur américain, même avec le 7% de réduction de taxes sur les automobiles neuves, demeure sceptique et préfère attendre les garanties du Congrès. Il est à noter aussi que les importateurs possédaient un stock d'environ 30 à 60 jours.

"The public is confused. People don't know what's going on. We don't know ourselves." Ce commentaire d'un important vendeur d'autos américaines reflète bien la situation qui règne présentement dans cette industrie. C'est surtout pour 72 que les manufacturiers attendent les progrès souhaités.

VI. 3 LES PREVISIONS DE LA PHASE II.

Le problème de l'inflation et du chômage ne pouvait sûrement être résolu dans la période de 90 jours des mesures Nixon comme telle. La question est de savoir si la phase II va remplir les espoirs que le gouvernement américain fonde en elle. Les premières indications sont favorables. Le prix des ventes a baissé, le nombre de chômeurs a diminué et les allégements fiscaux ne tarderont à mettre plus d'argent à dépenser dans les poches du peuple américain. Le prix des aliments va continuer, sur une base saisonnière, à baisser pour encore quelques mois.

Cependant une hausse de l'inflation est à prévoir vers la fin de l'automne, parce que plusieurs prix et salaires pourraient augmenter après le 13 novembre, date d'expiration de la phase I. Les fabricants d'automobiles veulent une hausse des prix et les unions semblent vouloir être insistantes dans leurs revendications. En effet, si les prix et les salaires tendent à rattraper le temps perdu pendant la période du gel, le problème de l'inflation et du chômage aurait à peu près la même configuration qu'avant les mesures.

Le 7 octobre 1971, dans une allocution à la nation américaine, le président Nixon a donné la position de son gouvernement face à la phase II. Le président a informé la nation d'une plus grande gérance gouvernementale de l'économie et confirmé que les Américains auraient à vivre longtemps encore sous le contrôle fédéral.

Il a affirmé qu'il y aurait des mesures pour régulariser la paye des travailleurs, les prix à la consommation et, en extension, les profits des industries. Ne voulant pas établir une grosse bureaucratie à l'étendue du pays, et sachant qu'il doit faire face au Congrès, à majorité démocrate, il se doit de compter sur la coopération des syndicats, des hommes d'affaires, des propriétaires et des salariés, vu la certaine souplesse des mesures qu'il a mises sur pied pour la phase II. Le président a annoncé la création de trois nouvelles commissions qui seront sous la supervision du "Cost of Living Council":

1- la commission des prix
2- le conseil des salaires
3- la commission des taux d'intérêts et des dividendes.

Ces trois nouvelles commissions auront le pouvoir d'imposer des sanctions si besoin il y a.

Dans un autre ordre d'idées, le président a déclaré qu'entendu que les profits sont le carburant d'une expansion industrielle capable d'enrayer le chômage et de créer des emplois, il rejette la politique du contrôle des profits. Cependant il a affirmé que la commission des prix serait chargé de voir à ce que les industries réalisant de gros profits voient à abaisser le prix de leurs biens.

Si l'on considère l'ensemble des mesures visant à réduire le chômage, on peut dire qu'elles tendent à substituer les dépenses publiques aux dépenses privées, qu'elles accordent la priorité à l'allégement de la fiscalité des entreprises, ce qui amènera une augmentation de la production. Le système américain ne pourrait-il, pour répondre au besoin de ceux qui veulent faire du travail utile, apporter d'autres solutions que d'acheter plus de voitures, de construire plus d'usines et de faire financer tout cela par les moins favorisés? Le système capitaliste est-il rendu à ce point malade qu'il faut qu'il règle ses problèmes en accentuant l'irrationnalité qui le caractérise?

CHOC DES PUISSANCES
DANS CETTE CRISE.

VII. LE CHOC DES PUISSANCES DANS CETTE CRISE.

Dès les premières heures qui suivirent l'annonce des mesures, les réactions ont afflué. Déjà on pensait que le mark allemand et le yen japonais seraient réévalués, tandis que le dollar américain deviendrait flottant. Pour soutenir le yen à sa même parité, le Japon dut acheter pour 600 millions de dollars US, et par le fait même il soutenait le dollar à sa parité.

En date du 17 août 1971, le dollar canadien déjà flottant valait $0.99 US. On se souviendra qu'une année auparavant il ne valait que $0.92 US. Le but de Nixon était évident; on voulait réévaluer les monnaies et voilà que malgré la fermeture de la plupart des marchés de change, le Japon semble se diriger vers une réévaluation évidente, de même que le florin hollandais; et le mark a déjà subi une hausse de 6% par rapport au dollar US. Comme par enchantement la réévaluation proposée par les Américains s'opère. (1 à 0 pour les Etats-Unis).

Le 19 août, le Japon capitule, et accepte de réévaluer son yen de 10% à la condition toutefois qu'il y ait au préalable un ajustement international des monnaies, basé sur la consultation multilatérale. Cependant la guerre n'est pas terminée puisque les Etats-Unis demandent une réévaluation de 25%.

Le 21 août 1971, les pays d'Europe, surtout ceux du Marché commun ainsi que l'Angleterre, sont nettement divisés par rapport à la forme que prendra la réévaluation des monnaies. Chaque pays se voit donc dans la possibilité de fonder ou plutôt de suggérer un programme. Ils fonctionnent tous séparément. A l'ouverture des marchés, fermés depuis une semaine, le dollar canadien se comporte bien, le yen demeure encore sous de nombreuses pressions malgré sa réévaluation (due aux pressions); à Francfort le deutsche mark reste flottant, se réévaluant de 8.25. A Paris c'est un double marché: le franc demeure fixe sur les transactions de marchandises et flottant pour l'extérieur. Le florin continue de flotter à La Haye. A Bruxelles c'est aussi le double marché. Au cours de la semaine, tous les pays sont divisés sur les solutions de rechange. Le FMI n'exerce presque pas de pression auprès des pays. Ainsi dix jours après la "bombe Nixon" tout est sens dessus dessous et personne ne veut tenter de nouvelles initiatives.

Le 27 août 1971, le gouvernement japonais ne peut plus résister à la pression et annonce officiellement le yen flottant, malgré qu'il l'était déjà mais non officiellement. Celui-ci continue à rester ferme sur le fait qu'il réclame un réajustement. C'est à cette date que la réunion annuelle du FMI a lieu, et chacun y va de sa proposition. Rien ne ressort de cette scéance si ce n'est que l'on a convenu qu'il existe un problème urgent et qu'il faut trouver une solution sans tarder.

VII.1 LES REACTIONS DES PAYS RICHES OCCIDENTAUX.

A l'annonce des mesures de Nixon, toutes les bourses du monde ont baissé sauf celle de New York, qui a monté. A Tokyo, ce fut la panique (-20%), à Francfort la forte baisse; à Paris, à Londres, à Genève, la baisse modérée. Ces réactions eurent lieu parce que les milieux financiers (autres qu'américains) comprirent que pour sauver le dollar les Etats-Unis allaient rejeter tout le poids de cette opération sur les autres pays. L'institution de la taxe de 10% devait rendre les exportations sur le marché américain beaucoup plus difficiles. Les pays comme le Canada le Japon, l'Allemagne fédérale, qui sont de très gros fournisseurs, sont plus particulièrement pénalisés. Quant à l'Allemagne, sa monnaie ayant été réévaluée de 8.5% le 24/10/69, puis de 8% depuis l'instauration du mark flottant, le prix de vente des marchandises allemandes se trouve renchéri, en l'espace de deux ans, de 28.9%. Il en est de même pour tous les pays qui réévaluent leur monnaie car ils seront deux fois pénalisés sur le marché américain: une fois par la taxe de 10% à l'importation et une autre fois par la réévaluation qui rendra le prix de leurs marchandises plus cher en dollars américains. Ce fut le cas du Japon qui était soumis à une très vive pression de Washington en vue d'une forte réévaluation du yen.

Compte tenu de l'économie américaine, qui est la première du monde, les mesures prises par Nixon ne peuvent que ralentir l'activité économique hors des Etats-Unis. Ainsi les gouvernements des pays touchés par ces mesures ont pris des dispositions pour que ce ralentissement ne dégénère pas en faillite générale.

Les tirages spéciaux.

Selon monsieur Barber, les droits de tirages spéciaux devraient être des numéraires dans lesquelles seraient définies les futures parités et il devrait y avoir possibilité de convertir en or ces droits de tirages spéciaux au moins partiellement. C'est ce qui le sépare de la thèse française selon laquelle les droits de tirages spéciaux devraient être gagés sur l'or, convertibles au moins partiellement en or. Cela revient de toute façon à maintenir l'or comme base du système monétaire international. La solution de cette conférence comportait donc :

1- réalignement des monnaies
2- retour à des parités fixes
3- élargissement des marges de fluctuation au moins à titre temporaire
4- répartition équitable de certaines charges entre les Etats-Unis et leurs partenaires
5- limitation de mouvements de capitaux perturbateurs
6- composition différentes des liquidités internationales conférant un rôle décroissant aux monnaies de réserve, et un rôle croissant aux droits de tirages spéciaux.

L'attitude des autres pays (pauvres) dans ce débat.

De prime abord, on pourrait dire que les mesures Nixon touchent spécialement les pays industrialisés et que les pays en voie de développement ne seront pas pénalisés. Cependant les pays sous-développés sont aussi pénalisés, directement et indirectement, par les mesures Nixon. Directement parce que l'aide à l'étranger est diminuée de 10%, et indirectement en raison de la taxe de 10% sur les produits manufacturés provenant des pays industrialisés. En effet, l'industrie de ces derniers fonctionne grâce aux produits primaires des pays en voie de développement. Il en résultera une diminution des recettes de ces pays, consécutive à la baisse de la demande de leurs clients habituels (l'Europe et le Japon), consécutive elle-même à la difficulté d'écouler sur le marché américain à cause de la taxe de 10% et la réévaluation de leurs monnaies par rapport au dollar américain.

Les pays en voie de développement demandent à être des partenaires et non plus des spectateurs. Ils sont unanimes à refuser aux dix pays les plus riches du monde le droit de discuter seuls de la crise monétaire internationale.

Les 42 pays africains estiment que les pays en voie de développement seront des victimes innocentes d'un arrangement auquel ils n'ont pas part et duquel ils ne peuvent pas se retirer facilement. Ces pays s'inquiètent, d'autre part, de la tendance actuelle à résoudre les problèmes qui les affectent profondément hors des institutions internationales, c'est-à-dire au sein des clubs des riches.

VII. 2 LE MARCHE COMMUN

Les pays du Marché commun sont aujourd'hui au nombre des pays les plus puissants. Le montant de leurs exportations touchées par les mesures est de l'ordre de $2,914 millions. La France, très peu touchée par la surtaxe, parce que peu de son commerce extérieur est dirigé vers les Etats-Unis, peut devenir la bête noire de ces derniers en refusant les propositions des Américains. Ainsi elle peut se permettre de ne pas faire fluctuer son franc.

Face à la surtaxe, l'Angleterre se doit d'être confiante: en effet, ce pays compte 900,000 chômeurs. Le flottement de la livre et son entrée dans le Marché commun peuvent orienter les priorités de ce pays vers d'autres secteurs. Si la production est stimulée par des politiques monétaires, le chômage peut être contré. Par contre le grossissement de la masse monétaire provoquerait une crise d'inflation; celle-ci étant déjà forte, un nouveau dilemme se pose: régler le chômage ou l'inflation?

VII. 3 LE JAPON

Le commerce entre les Etats-Unis et le Japon, qui était en équilibre jusqu'en 1965, tourna par la suite en faveur du Japon. Celui-ci accumulait 10 milliards de dollars US à la fin de 1971, égalant ainsi les réserves américaines, qui fondaient littéralement. Le principe du Japon est fort simple: faire ouvrir les barrières tarifaires des autres pays tout en fermant les leurs. Pour citer un exemple, ne prenons que les produits alimentaires qui sont exportés à pleine capacité par le Japon et les Japonnais; par contre ils interdisent les aliments américains sur leur marché pour raisons de santé. Il y a aussi le secteur automobile: le Japon impose une barrière de 4% tandis que les Etats-Unis en ont une de 3%. Ils exportent le tiers de leurs produits vers les Etats-Unis et en plus s'infiltrent sur la côte du Pacifique et en Chine. Les Américains les craignent beaucoup et avec raison.

Les mesures draconiennes de Nixon pourront tout de même avoir une influence moins néfaste que prévue. Même si les exportations japonaises vont diminuer sensiblement de l'ordre de $2 milliards, et que le chômage va augmenter, il n'en reste pas moins qu'ils se trouvent en excellente posture économique. Au Japon, le chômage n'est que de 1%. Pour équilibrer la situation, il faudrait que le taux de croissance du Japon, qui était de 12% en 1970, tombe à 6%.

Le bon côté des mesures vient replacer le Japon sur la carte des puissances. En effet, on trouve facilement des avantages au yen flottant: cela provoquera une élimination des producteurs marginaux; les grosses compagnies pourront moderniser les structures industrielles; et cela forcera le Japon à se fixer de nouvelles priorités. Par exemple, au lieu de développer les textiles, qui risquent de ne plus être rentables, on pourrait se concentrer sur l'intérieur du pays, soit les problèmes de communications qui rendront les prix des marchandises moins chers, parce que ce sera plus rapide, et ils pourront combattre la pollution qui les étouffe littéralement. L'économie sera dirigée vers des secteurs plus modernes et concurrentiels. Ce sera alors un avantage tant pour le Japon que pour les pays qui sont noyés par les marchandises japonaises.

LE CANADA FACE
AUX ETATS-UNIS.

VIII. LE CANADA FACE AUX ETATS-UNIS.
VIII. 1 LA SITUATION ECONOMIQUE CANADIENNE.

"Quand les Etats-Unis éternuent, le Canada s'enrhume."
Cette simple phrase résume assez bien la situation de dépendance de l'économie canadienne dans le contexte nord-américain. Nous subissons les hauts et les bas de l'économie américaine, mais toujours avant ceux-ci. Tel un parasite nous attendons notre maigre pitance d'investissements étrangers pour survivre. Cet "aplatventrisme institutionnalisé" fait penser à un quêteux implorant charité.

Pourtant, le Canada possède les atouts de la réussite: richesses naturelles, énergie de transformation et technologie avancée. Il demeure toutefois que nous sommes le plus grand importateur du monde, proportionnellement à notre économie. Ce signe de dépendance est le caractère propre aux pays sous-développés, qui ne possèdent pas le secteur secondaire de la transformation, moteur de l'économie et générateur d'emplois.

Devant le phénomène de plus en plus alarmant des investissements étrangers au Canada, nos politiciens se gargarisent de slogans: "Qu'importe qui est le propriétaire, l'important c'est que cette usine est construite au Canada et qu'elle a créé des emplois. C'est grâce aux capitaux et à la technologie américaine que notre standing de vie est élevé. Que ferions-nous sans les Américains?"

Une telle démagogie est inaqualifiable de la part de personnes mandatées pour construire et représenter un pays et un peuple. Nous démontrerons un peu plus loin la fausseté de ces dires.

La commission américaine chargée d'étudier le commerce international et la politique de l'investissement à l'étranger, qui a été créée en mai 1970, a remis son rapport au président Nixon en juillet 71. Ce rapport a porté une grande attention au voisin du Nord.

Le rapport fait état de la sensibilité canadienne aux investissements américains et des conséquences de la condition économique étatsunienne sur le Canada. En effet, 2/3 des exportations canadiennes aux Etats-Unis proviennent de filiales qui appartiennent aux Américains. Le fait que la plupart de ces industries ont leur maison mère aux Etats-Unis procure au gouvernement de ce pays "un pouvoir indirect énorme" sur l'économie canadienne en général et sur le niveau de vie.

Les Américains contrôlent un grand nombre de secteurs clés de l'économie canadienne:
- 51% des actifs de l'industrie minière
- 43% des actifs de l'industrie manufacturière
- 84% de la production du charbon et du pétrole
- 76% du matériel de transport
- 67% des minéraux combustibles
- 65% de la machinerie
- 58% des appareils électriques
- 57% des produits chimiques. (J 3)

VIII. 2 L'IMPACT DE LA SURTAXE SUR L'ECONOMIE CANADIENNE.

Les mesures Nixon viennent briser les relations internationales qui depuis bon nombre d'années ont favorisé l'expansion du commerce mondial. Pour un pays exportateur comme le Canada, cette intervention américaine signifie un ralentissement de son commerce et conséquemment de son économie.

La surcharge est imposée aux produits finis et semi-finis; les matières premières en sont exemptées; car d'une part, les Américains ont besoin de matière brute pour leurs industries de transformation et d'autre part, ils veulent redonner une nouvelle vigueur à l'industrie de consommation en bloquant l'entrée de produits manufacturés des autres pays. La surtaxe rend donc non concurrentielles nos exportations, ce qui pour certaines industries exclusivement exportatrices signifie la banqueroute.

Avant les mesures Nixon, les investissements se faisaient dans l'exploitation de nos richesses naturelles; mais petit à petit, les investisseurs effectuaient des placements dans l'industrie manufacturière, ce qui est beaucoup plus rentable pour le pays qui accueille ces nouvelles industries. Mais avec le nixonisme voulant consolider le secteur secondaire américain, on verra irrémédiablement les futurs investissements se diriger vers le secteur primaire canadien. Car les allégments fiscaux seront octroyés aux compagnies qui achèteront leurs biens d'équipement made in U.S.A. Aussi le "Domestic International Sales Corporations", en abrégé le DISC, permettra qu'il ne soit pas payé d'impôt sur plus de la moitié des produits exportés.

Ce qui faisait dire au ministre fédéral de l'Industrie et du Commerce, M. J.-L. Pépin: "S'il est vrai que les Etats-Unis se dirigent vers une politique d'autarcie et que ce pays considère qu'il lui serait plus avantageux d'importer nos matières premières et nos ressources énergétiques mais en même temps de faire obstacle au développement de nos industries secondaires, nous serons dans l'obligation de soumettre l'ensemble de nos relations avec les Etats-Unis à un examen très sévère." (R 9)

La surtaxe américaine a rendu l'économie canadienne précaire. Elle amènera inévitablement une récession dans la production et, si les importations d'autres pays continuent d'affluer, il en résultera une concurrence "indue aux producteurs".

Dès le début du problème, le gouvernement fédéral a adopté une loi de l'aide à l'industrie. Grâce à une somme de $80 millions, ce projet s'engage à payer aux industries 2/3 de la surtaxe américaine. Mais l'on peut se demander honnêtement si le gouvernement n'est pas à subventionner les filiales américaines dont les profits retournent directement à ceux-là mêmes qui imposent cette surtaxe.

M. Henri Héchéma, président de Intrafina Ltée à Montréal, proposait un palliatif plus cohérent pour les subventions aux industries:

"Nous préconisons un régime de subventions plus souples basées sur le montant de dollars américains rapatriés sur les ventes de produits touchés par la surcharge. Un cours favorable pourrait être appliqué à ces dollars qu'on pourrait appeler dollars d'exploitation". (R 9)

Ce système favorise une plus juste répartition des subventions aux industries, tout en continuant les ventes canadiennes aux Etats-Unis. De plus ces dollars recueillis permettraient au dollar canadien de fluctuer plus librement et d'atteindre plus rapidement sa vraie parité par rapport aux autres monnaies internationales.

Le gouvernement aurait pu mettre en oeuvre d'autres actions pour favoriser une poussée de l'économie canadienne:

1- unir les efforts et le budget des trois paliers de gouvernement pour adopter une politique expansionniste afin de permettre une relance immédiate

2- user de toutes les persuasions possibles pour convaincre

les filiales américaines au Canada d'étendre leur champ de fabrication dans les domaines où nous nous voyons dans l'obligation d'importer

3- insister auprès de ces firmes pour qu'elles fassent leurs achats ici même et non auprès de leur maison mère située aux Etats-Unis

4- interdire aux trois paliers de gouvernement d'importer des biens de l'étranger si ces mêmes biens sont produits au pays, "même à un prix supérieur".

Ces solutions ne sont que des éléments pour tenter de freiner les détériorations que la surtaxe laissera sur l'économie canadienne.

VIII. 3 UN RAPPORT CONFIDENTIEL.

Le **Chicago Tribune** publiait tout récemment un rapport confidentiel intitulé **Griefs contre le Canada.** Ce document officiel émane vraisemblablement de la Maison Blanche et pose les conditions commerciales essentielles pour la levée de la surtaxe de 10% au Canada. Le mémoire demande entre autres: l'augmentation des achats de matériel militaire aux Etats-Unis, la réduction des tarifs canadiens sur les biens manufacturés et semi-finis et l'élargissement de l'accord américano-canadien du Pacte de l'automobile. Les Etats-Unis exigent en plus qu'un calendrier soit fixé pour la mise en oeuvre de ces revendications.

Selon l'administration Nixon, l'entente conclue dans le domaine de l'auto est injuste pour les U.S.A. Un retour normal à la situation compterait pour beaucoup dans le réajustement de la balance commerciale.

Monsieur Trudeau semble prêt à négocier une nouvelle entente sur la politique commerciale de l'auto, mais se montre réticent en ce qui touche aux autres concessions que le Canada devrait accorder aux Etats-Unis. D'autre part il a affirmé devant les Américains n'avoir pas de temps matériel pour négocier les politiques continentales de l'énergie. Ce geste en est un de diplomatie, car le premier ministre n'est pas sans savoir qu'il détient une force et un pouvoir de négociation.

Lorsqu'en 1971 le dollar canadien devint flottant, il fut réévalué de 6%. On croyait que le marché des exportations vers les Etats-Unis irait logiquement selon une courbe descendante, ce qui fut tout le contraire. On n'a jamais tant exporté depuis les six dernières années. Depuis ce temps les dettes canadiennes étaient dévaluées de 6%, car le dollar canadien avait augmenté sa valeur auprès du dollar US. Il fallait maintenant que le dollar canadien ne soit pas plus évalué pour que les exportations canadiennes soient compétitives, car l'on sait que les industriels canadiens établissent leurs prix à l'exportation en dollars US.

François Gauthier, économiste, donne des solutions pour "éviter une appréciation additionnelle du dollar canadien":
- réduire les taux d'intérêts à court terme de façon à provoquer des sorties de capitaux à court terme
- réduire les taux d'intérêts à long terme de façon à inciter les entreprises commerciales et industrielles de même que les gouvernements provinciaux et municipaux à emprunter au Canada. (R 9)

VIII. 4 LES CONCLUSIONS DU RAPPORT GRAY.

La surtaxe est une prise de conscience brutale et concrète de notre dépendance économique envers les U.S.A. Le Canada tout en étant le voisin immédiat des Etats-Unis, exporte en pourcentage plus que le Japon, l'Allemagne et l'Angleterre réunis. Le Canada a eu quatre autres occasions d'affirmer sa position économique vis-à-vis du géant, mais la peur l'en a empêché. Il reste donc une dernière chance au Canada, celle de prendre sa responsabilité de nation indépendante et de décider librement de l'orientation qu'il entend donner à ses relations économiques avec les Etats-Unis.

Le rapport Gray, mémorandum confidentiel préparé par une équipe de spécialistes et par M. Herbert Gray, ministre du Revenu national, s'intitule **Le contrôle canadien du milieu économique national.** Ce rapport que le cabinet Trudeau ne voulait pas rendre public pose les jalons d'une politique de reprise en main de notre économie.

La prise en main de nombreux secteurs importants par des investissements étrangers est une entrave sérieuse pour un contrôle adéquat de l'économie par les Canadiens.

Certains secteurs ou industries de notre économie sont négligés et sous-développés, du fait que les administrateurs de firmes doivent répondre de leurs actions non au gouvernement mais à la maison mère située à l'étranger et qui a une politique particulière pour chacune de ses filiales dans un plan général d'investissements internationaux.

Entre autres, la diversification de nos rapports scientifiques et technologiques avec les pays du monde entier est rendue plus difficile dû à la dépendance et au concubinage avec des firmes américaines.

"Le rapport affirme catégoriquement que la prédominance des filiales étrangères au Canada, en l'absence de tout mécanisme régulateur de leur activité, prive les Canadiens du contrôle de leur milieu économique national.'' (J 3)

Aucune stratégie économique menée simultanément sur tous les fronts de l'économie n'a été mise sur pied. Le gouvernement n'intervient pas non plus pour maximiser la production et les profits des investissements nouveaux.

Les perspectives d'avenir.

1- La mainmise sur notre économie par des forces étrangères va continuer à croître autant en chiffres absolus que relatifs

2- les grandes puissances industrielles telles que le Japon et les Etats-Unis, dont la production est en continuelle expansion, auront nécessairement besoin de matière première proportionnellement à leur évolution. C'est donc dire que la décennie 70 verra augmenter l'exploitation de notre secteur primaire et de nos richesses naturelles. Par conséquent, l'augmentation du contrôle étranger de notre économie est prévisible

3- la carence de la production canadienne c'est qu'elle n'est pas réellement canadienne; elle manque "d'originalité", elle est trop américanisée et américanisante, ce qui laisse grande ouverte la porte à la dépendance de notre secteur manufacturier par les capitaux et les techniques étrangers

4- nous manquons de management canadien.

Les critères d'une politique adéquate.

Quelles sont les mesures à prendre pour pallier cet envahissement par l'investissement étranger:

1- une politique qui ne viserait qu'à canadianiser notre économie ne serait pas une garantie suffisante pour une meilleure administration de notre économie. Car même si une industrie est d'administration canadienne, elle ne travaille pas nécessairement pour le bien général du pays

2- les politiques générales du gouvernement à l'investissement sont trop générales, l'Etat devra être plus ferme et créer une politique qui s'attaque à la source même du mal, c'est-à-dire aux investissements étrangers

3- une intervention visant plus spécifiquement les firmes sous contrôle étranger est souhaitable au début du défrichement et de la domestication de nos marchés

4- les interventions du gouvernement devront être souples et capables de s'adapter à la situation particulière de telle

ou telle firme en se souciant du rôle économique qu'elle a
à jouer

5- certains effets non économiques des firmes étrangères devront être prévus et contrés.

VIII. 5 QUELLE IMPORTANCE FAUT-IL ATTACHER AU CONTROLE CANADIEN DE L'ECONOMIE?

D'après l'étude Gray, les industries canadiennes, sur les
plans recherche industrielle et degré de transformation des ressources, n'encouragent pas plus que les firmes américaines ce
niveau de développement particulier au pays lui-même.

Seules les firmes canadiennes indépendantes peuvent s'auto-
déterminer avec une stratégie économique qui leur soit propre,
et ainsi tendre vers la maximisation de leurs intérêts.

Nous pouvons donc conclure qu'une politique qui aurait pour
seul but le contrôle canadien des industries à 51% ne serait pas
suffisante pour donner des rendements supérieurs à celles-ci.

Mais d'autre part, une politique qui n'attacherait aucune importance au contrôle canadien des industries verrait le secteur
secondaire dépendre entièrement de l'étranger.

"Si cela devait se produire, le Canada aurait renoncé à se do-
ter de cette technologie autochtone et de cette capacité produc-
tive originale sans lesquelles il ne saurait réussir à se spécia-
liser et à pénétrer librement les marchés intérieurs et internationaux." (J 3)

Une stratégie industrielle canadienne aura le devoir de déterminer les secteurs forts de l'économie canadienne, qui par la
suite seront les secteurs clés de l'économie, avec une vocation
spécialisée.

"Une première conclusion majeure se dégage de nos consta-
tations et de notre analyse: une action gouvernementale directe
est devenue nécessaire en ce qui touche les entrées de capitaux
étrangers au Canada." (J 3)

Pourquoi une intervention s'impose.

Une politique de contrôle ferme de la part des gouvernants
nous donnera une position de force:

1- la protection des priorités industrielles du Canada
2- l'obtention d'arrangements plus favorables au Canada
3- le gel des investissements étrangers qui n'ajoutent rien de
valable à l'activité économique au Canada
4- la négociation d'accords avec les propriétaires étrangers
de technologies ou d'autres éléments utiles, en vue du
transfert vers le Canada à des conditions libérales, de
certains droits de propriété ou d'utilisation

5- la protection sélective de la capacité d'entreprendre du pays.

Mais des méthodes non diplomatiques envers les filiales étrangères risqueraient des représailles de la part du pays investisseur. Il serait donc plus logique "qu'une méthode de vérification directe de tamisage systématique des investissements" (J 3) donne lieu le moins possible à des répercussions fâcheuses.

Les raisons qui justifient l'intervention du gouvernement auprès des firmes administrées par des étrangers :

1- une partie des bénéfices, pour ne pas dire tous les bénéfices dans certains cas, vont en dehors du pays. De là l'intervention du gouvernement pour garder le plus de bénéfices profitant à l'économie canadienne

2- les firmes sous contrôle canadien sont moins contraintes à pratiquer une politique émanant d'une tête administrative venant d'un autre pays comme c'est le cas des filiales américaines.

3- les firmes étrangères viennent s'établir au Canada soit à cause des tarifs douaniers réduits, pour ainsi augmenter leur part de profits, ou tout simplement pour prendre la place d'un concurrent

4- manque de concurrence entre les grandes firmes.

Puisque nous avons affirmé qu'une firme étrangère est entièrement dépendante de sa maison mère, une politique basée sur le rachat de ces firmes serait inconséquent.

VIII. 6 LA NÉCESSITÉ D'UNE STRATÉGIE INDUSTRIELLE.

De plus en plus les échanges internationaux se font entre firmes d'une même administration. Donc de plus en plus il y a interaction et affiliation sur le marché des biens et valeurs. Les sociétés multinationales ont alors un rôle beaucoup plus important dans un pays que celui de l'Etat.

Les effets d'une intervention directe du gouvernement serait la création d'un outil pour répondre à un besoin. Il faut diversifier et décentraliser nos relations internationales.

Le rapport Gray recommande la mise en place d'un système de planification du secteur étranger de l'économie, pour toute initiative :

- take-over
- nouvel investissement
- projet d'expansion
- accord de production sous licence
- opération de financement. (J 3)

VIII. 7 LE RAPPORT GRAY : LE QUEBEC ET L'ONTARIO.

Le problème de la domination du Québec s'est toujours posé à un niveau administratif: c'est-à-dire que le Québec n'est pas maître chez lui. Cet état est dû tant par la domination d'Ottawa que par celle des Etats-Unis ou de l'Ontario; même si celui-ci est davantage contrôlé par les Américains que le Québec, les maisons mères de plusieurs compagnies se situent dans la province d'Ontario. Voici donc quelques statistiques:

% DE LA PROPRIETE ÉTRANGERE

	ONTARIO	QUÉBEC	CANADA
Indus. manufacturière	70%	60%	63.8%
Indus. minière	59.3%	40.6%	55%
Commerce de gros	39.7%	32.2%	
Finances.	37.7%	27.2%	37.4%
Transport.	21%	44%	22%
Communications	39%	42%	39%

Selon le rapport Gray et Caimra les étrangers possèdent:
- plus de 75% dans 5 des 18 branches de l'industrie manufacturière
- plus de 50% dans 10 branches de l'industrie manufacturière
- plus de 25% dans 15 branches de l'industrie manufacturière.

(J 3)

"Seulement $9.7 des $43.8 milliards de capitaux requis par les filiales canadiennes d'entreprises étrangères ont été obtenus à l'étranger. C'est dire que les entrées de capitaux étrangers ont financé seulement 22% de la croissance des entreprises étrangères au pays, le reste, soit près des 4/5, ayant été acquis par profits, allocations d'amortissements, émissions d'actions ou d'obligations et emprunts bancaires". (J 3)

"Toujours selon Statistique Canada, 16.7% de l'épargne canadienne brute (soit $8.8 d'un total de $52.8 milliards) s'est accumulée dans les coffres d'entreprises sous contrôle étranger pendant la période 1967-1969." (J 3)

SOLUTIONS AUX
MESURES NIXON.

IX. SOLUTIONS AUX MESURES NIXON.

Les Etats-Unis, économiquement parlant et en plus internationalement parlant, ont provoqué ces mesures protectionnistes pour des raisons internes sans doute, mais aussi pour des raisons de prestige face aux pays concurrentiels. En effet les problèmes externes restaient ceux-ci :
- un règlement sur les dollars externes déjà en circulation et qui empoisonnaient toute la vie économique de l'Occident
- un mode de règlement des soldes dégagés sur les marchés de change qui ne fasse plus appel au dollar
- certains rajustements des inter-parités actuelles

La dette extérieure des Etats-Unis à court terme était de l'ordre de $50 milliards. Les effets de cette dette sont ceux-ci : un désordre monétaire international dû à la qualité de base du dollar américain. En second lieu : la hausse des taux d'intérêts qu'on a connue est due à ce déficit et aux dollars qui circulent entre les pays sauf aux Etats-Unis, c'est-à-dire l'euro-dollar. Et finalement, l'impossibilité pour Nixon de résoudre la balance déficitaire. En effet le taux d'intérêt que doit payer le pays est de 8%, soit $4 milliards. Quelles seraient les solutions à adopter face à cette complexité de la dette?

Précisons qu'ils se doivent d'accomplir une étape importante : le paiement des créanciers. Pour cela l'histoire montre qu'il n'existe qu'un seul moyen, et c'est celui d'éliminer de la part des créanciers, les intérêts sur la dette. Ce geste pourrait sembler généreux à première vue, un acte de charité de la part des pays créanciers, mais le fait de ne pas éliminer cet intérêt risque d'entraîner tous les pays sur le bord de la faillite. Alors mieux vaut perdre un peu que de tout perdre.

A cette première solution, on peut ajouter qu'ils doivent renoncer, comme on l'a dit, à l'étalon-dollar, c'est-à-dire aux accords survenus à Bretton Woods, et ainsi renoncer à émettre des dollars pour payer. Finalement il faudrait réévaluer les monnaies; mais il serait plus juste de dire réajuster les parités.

Ce que nous venons de donner, ce ne sont pas tant des solutions que des problèmes à surmonter pour résoudre le fond de la question, c'est-à-dire penser le nouveau système qui sera mis en place. Car il ne faut pas oublier que les pays du monde se sont fait voler par ces mesures qui cassaient, qui négligeaient tout accord antérieur, et il semble que Nixon fera payer le prix de ce déséquilibre par les nations supposément alliées.

***

Cette présente partie a pour but de retracer les propositions des différents pays en cause.

1. Dès le 19 août, soit quatre jours à peine après l'annonce des mesures, la Bank of America propose une réforme, stratégie à long terme, pour résoudre la crise.

En effet, la plus grande banque du monde transmet à la Maison Blanche, aux autorités monétaires américaines et au Congrès un plan en trois grandes étapes. La première étape logique serait "d'adopter la même norme de convertibilité pour le dollar que pour les autres monnaies", ce qui donnerait aux U.S.A. l'option de convertir les dollars excédentaires soit en or, soit dans la monnaie des pays demandant la conversion.

La seconde étape serait "de faire des Droits de tirages spéciaux, le numéraire du système financier international". Ceci permettrait à tous les pays d'ajuster la parité de leur monnaie en termes de DTS. A l'intérieur de cette étape, les Etats-Unis et leurs alliés pourraient appliquer rapidement le genre de programme parvenant à un équilibre plus équitable de système monétaire. Le programme suggéré serait en quatre points: un réajustement des parités de certaines monnaies par rapport au dollar, une plus grande souplesse des taux de change, une correction des balances dollar exagérées et une coordination des politiques monétaires.

La troisième étape serait une mise au point de mécanismes en vue de l'application d'une politique monétaire internationale, et la création de deux commissions consultatives dont la fonction principale serait de coordonner les disponibilités des capitaux et d'évaluer les conditions de changements pouvant affecter les marchés monétaires internationaux.

2. Ce n'est que le 8 septembre 1971 que les Six s'entendent sur un objectif commun en vue de résoudre la crise monétaire. Les Six, comprenant la France, l'Allemagne, l'Italie, la Belgique, les Pays-Bas, ainsi que le grand-duché de Luxembourg,

engagent leur action sur deux fronts, celui du ou des régimes européens transitoires (en attendant la réforme), celui des solutions nationales appliquées actuellement (pouvant être améliorées du point de vue de la Communauté).

Enfin, le 13 septembre, les Six établissent clairement leur position. En cinq points, elles se dictent comme suit:

- respect du système des parités fixes
- réalignement des valeurs des monnaies, y compris du dollar, à condition que les Etats-Unis suppriment la surtaxe de 10% sur leurs importations
- élargissements modérés des marges de fluctuations des changes, et mesures appropriées pour décourager les mouvements spéculatifs des capitaux
- maintien du rôle de l'or dans les liquidités internationales, complété de façon croissante par les Droits de tirages spéciaux, remplaçant graduellement les monnaies nationales utilisées comme instruments de réserve
- respect par tous les pays, sans exception, des règles d'équilibre et d'ajustement des balances de paiements.

3. C'est le 15 septembre qu'a lieu l'ouverture du sommet ministériel du Groupe des Dix, dans la capitale britannique, alors que l'un des affrontements monétaires les plus serrés depuis la deuxième guerre est déclenché. Le Groupe des Dix est constitué de cinq pays du Marché commun, ainsi que du Royaume-Uni, du Canada, des Etats-Unis, du Japon et de la Suède. Le Marché commun, la Grande-Bretagne et le Japon exigent aussitôt des Etats-Unis qu'ils dévaluent leur devise de 5% tout en levant sans condition la surtaxe de 10% sur les importations.

Londres fait savoir qu'il aligne désormais sa politique monétaire sur celle du Marché commun et la Suède fait de même. Dans le cas du Japon, le ministre des Finances insiste sur le fait que la contribution nippone à un réaménagement du système monétaire est directement conditionnée à la correction de l'échelle d'ensemble des parités, soit une dévaluation du dollar américain et une réévaluation pour les autres pays.

4. Avant l'ouverture de l'assemblée générale du FMI, son président, M. Pierre Schweitzer, demande une nouvelle fois une dévaluation du dollar par rapport à l'or. Il présente ensuite son programme de négociations en trois étapes pour la remise en ordre du système monétaire. Elles sont:

- réalignement des monnaies joint à la définition de ces monnaies en termes d'or ou de Droits de tirages spéciaux avec l'abolition concommittante de la surtaxe de 10% et un élargissement des marges de fluctuations des monnaies

- négociations sur les autres mesures qui pourraient contribuer au rétablissement de la balance des paiements des Etats-Unis, règles commerciales et partage des dépenses militaires
- négociations sur les réformes qui peuvent être apportées au système, notamment sur le rôle respectif des instruments de réserve.

Au cours de l'assemblée annuelle du FMI, les DTS devraient remplacer le dollar dans un nouveau système monétaire. Ce serait alors le premier instrument de réserve monétaire dont la création repose sur la coopération internationale et non sur la production d'une matière première, comme l'or, ou sur la politique d'un seul pays, comme le dollar.

Donc, les DTS sont indépendants du dollar américain. Et financièrement, ils représentent un avantage sur l'or: ils rapportent un léger intérêt.

5. Et c'est ainsi que le 19 octobre 1971, il se confirme que les Etats-Unis ont décidé d'assouplir leurs positions pour avancer sur le front monétaire en espérant que leurs partenaires les suivent là où ils souhaitaient les amener. Les Américains ne mettent donc plus que deux conditions à la suppression de la surtaxe: un flottement libre (sous-entendu sans interventions gouvernementales) des monnaies candidates, selon les Etats-Unis, à la réévaluation; des progrès substantiels vers un démantèlement de ce que les Américains considèrent comme les restrictions commerciales des autres pays (Japon, Marché commun, Canada) à la vente des produits "made in U.S.A."

Le 16 octobre 1971, le secrétaire du Trésor, M. Connally, laissait entendre que les Etats-Unis étaient prêts à considérer une levée sélective de la surtaxe pour des pays comme l'Allemagne, qui laisseraient flotter leur monnaie par rapport au dollar.

6. Le 20 octobre 1971, M. David Rockefeller, président de la Chase Manhattan Bank, se prononce en faveur d'un "modeste changement" de la parité or-dollar, dans le cadre d'un réalignement qui devrait être accompagné, selon lui, de l'abandon par les Etats-Unis de la surtaxe douanière de 10% et des concessions fiscales en faveur des biens d'équipement américains. Il se déclare de plus en faveur du remplacement progressif de l'or et du dollar par une nouvelle unité internationale de réserve, qui pourrait être le DTS.

7. C'est par son ministre des Finances que le Canada fait connaître les solutions et les principes sur lesquels il verrait le règlement de ce conflit. (Il faudrait peut-être ajouter que notre pays faisait face à un douloureux conflit. En effet, il était accusé

parfois d'anti-américanisme et parfois de pro-américanisme. Etant donné sa trop grande dépendance des Etats-Unis, on ne devait s'attendre, de la part de M. Benson, qu'à des solutions radicales... et on ne fut pas déçu. Le trop grand protectionnisme américain ne devait donc guère influencer nos positions.) M. Benson désire un ajustement des parités d'échange et "autres ajustements nécessaires", ainsi que le règlement du conflit de la balance commerciale des Etats-Unis qui, selon la manière dont il sera traité, peut entraîner une contraction ou une expansion du commerce mondial.

M. Benson mentionne en outre que les décisions qui doivent être prises sont d'autant plus difficiles qu'elles sont reliées entre elles et qu'elles mettent en cause plusieurs gouvernements; et vis-à-vis du problème des égoïsmes nationaux, il recommande "d'avoir recours à toutes les possibilités de contacts étroits et continus entre les pays, à la fois bilatéraux et multilatéraux, directs et indirects". (J 9)

* * *

Mais ces solutions sont-elles conformes à la réalité ou plutôt à l'intérêt particulier de chaque pays? Etant donné que chaque pays pense à propulser le sien sur le marché mondial, il serait plus avantageux d'adopter des solutions indépendantes. Selon M. Jean Dénizet, la solution serait de laisser tomber les taux d'intérêts. Il faudrait aussi que les Etats-Unis abdiquent leurs fonctions d'étalon et donc renoncent à émettre des dollars pour régler leurs dettes; il faudrait de plus réevaluer l'or monétaire, qui serait séparé de l'or non monétaire. Finalement cela

"consisterait à ce que tous les pays membres du FMI réévaluent simultanément l'or monétaire — celui détenu par les banques centrales - en même temps que les droits inconditionnels sur le FMI et les Droits de tirages spéciaux. Le montant de la plus-value, fruit d'une décision de la communauté internationale, serait apporté au FMI qui s'en servirait pour racheter les dollars des banques centrales. A l'issue de l'opération, tous les pays membres se retrouveraient avec la même encaisse internationale qu'avant l'opération, mais celle-ci ne comporterait plus que de l'or monétaire et des droits de tirages sur le Fonds, ordinaires et spéciaux. L'étalon international serait l'unité du Fonds monétaire — défini en or — et non plus en dollars. L'alimentation du monde en liquidités internationales se ferait uniquement par émissions annuelles de Droits de tirages spéciaux. Cette solution est dans le droit fil des deux améliorations apportées depuis quelques années au système monétaire international:
- la séparation de l'or monétaire et de l'or non monétaire
- la création de liquidités internationales par concensus au sein du FMI.
Mais elle corrige l'erreur qui consistait à créer les Droits de tirages

spéciaux sans mettre fin en même temps au privilège d'émission du dollar comme monnaie internationale." (R 15)

Des solutions apportées, on retrouve certaines constantes : tout d'abord on ne veut plus de l'étalon-dollar. En plus on cherche à conserver le système de parité fixe. Quels sont les avantages de ce système de parité fixe? Les avantages de cette méthode de transactions sont presque incontestés. Elle assure des transactions commerciales et industrielles, en plus le gouvernement tend à surveiller davantage l'intérieur du pays et par conséquent à éviter l'inflation; finalement le taux de croissance de tous les pays devient plus stable. Et tout cela contraste énormément avec le taux de change flexible. Cette méthode ne comporte aucuns taux fixes officiels. C'est-à-dire qu'un pays dépendrait seulement de sa balance commerciale et de la confiance des autres pays pour soutenir sa monnaie. Le prix d'une monnaie pourrait donc être fixé par pure spéculation et non par l'offre et la demande d'un bien. Le principe du taux de change flexible est fort simple : toutes les monnaies flottent et varient théoriquement selon l'offre et la demande. L'insécurité des transactions freine les échanges et les monnaies des nations fortes peuvent à volonté contrôler les plus faibles.

Ainsi, pour le système actuel de taux flottant, il faudrait au plus tôt revenir à une parité fixe. Mais avant cet objectif, il faut laisser flotter les monnaies pour atteindre tout de même une certaine justice pour chacun. Revenu au système de change fixe, pour rendre la pratique selon la théorie, on n'aurait plus qu'à élargir le taux de fluctuation des monnaies d'après celui de la parité officielle.

Une troisième constante remarquée est le réajustement des monnaies. Règle générale on peut dire qu'une réévaluation étrangère de 7% et une dévaluation de 7% pour les Etats-Unis pourraient suffire à rétablir un certain équilibre.

Finalement, le plus grand problème à résoudre demeure toujours la place que doit jouer la monnaie américaine. Celle-ci, pour atteindre un système plus honnête, devrait donc laisser sa place aux DTS; c'est là une condition presque indispensable pour atteindre une solution valable dans ce méli-mélo économique. Le dollar américain devient par conséquent sur un pied d'égalité avec les autres pays.

Donc pour résumer le chapitre des solutions, on peut dire ceci :

- fluctuation des parités suivant la situation du pays

- retour aux parités fixes
- élargissement des marges de fluctuation
- installer le système des DTS en remplacement du dollar
- décourager les mouvements de capitaux à court terme.

CONCLUSIONS.

"Le message du président Nixon à la nation marque une étape dans l'histoire des Etats-Unis. Le président s'est appliqué à détruire le mythe d'un pays aux ressources illimitées et aux vastes frontières. Il s'est fait l'avocat d'une croissance justifiée et d'une utilisation plus rationnelle des ressources." (R 21)

"Le temps est venu, a-t-il déclaré, de s'élancer vers une nouvelle conquête. La conquête non pas d'une augmentation quantitative de ce que nous avons, mais la conquête d'une amélioration qualitative de la vie des Etats-Unis." (A 1)

Son message s'est fait entendre à Wall Street. Les restrictions monétaires et l'inflation sont des problèmes passagers, mais la reconnaissance qu'il y a une limite aux ressources naturelles dont nous disposons, la reconnaissance que nous nous en allons vers une période prolongée de restriction de capital et l'annonce d'une croissance plus modérée, sont des réalités qui laissent présager des changements peut-être permanents. Ici on est porté à se demander si Nixon n'avait pas déjà envisagé les systèmes de contrôle et de gel des salaires institués il n'y a pas très longtemps. On voit bien néanmoins qu'il devait y penser très sérieusement. En 1959-60, on avait déjà mis au point des mesures pour solidifier l'économie américaine. 1970-71 nous arrive avec une panique dans l'économie. Et la fin de 1971 avec une mesure drastique de contrôle: la surtaxe!

Le malaise dont souffrent les Etats-Unis n'en est pas un comme on le conçoit dans les pays pauvres, mais bien un malaise de surproduction. Malgré la faim qui attaque encore certains pays, l'Amérique se voit obligée de cesser de produire. N'est-ce pas ridicule! Pour faire "évoluer" davantage notre société, on se voit dans l'obligation de faire la guerre, de tuer des hommes. Le ridicule est alors dépassé pour tomber dans l'inhumain et dans l'irréfléchi.

En effet, le monde occidental est arrivé à un point grotesque de son développement où la brosse à dents devient plus importante que la nourriture. L'homme est abaissé à l'abrutissement quotidien de la machine. Les syndicats recherchent l'emploi sans toujours regarder l'utilité des produits fabriqués. Les gouvernements mentent ouvertement à un peuple déjà sursaturé de dérisoires politicailleries. Les priorités sont mélangées et tout à fait insensées.

Il faut donc rendre à l'homme sa pleine valeur dans une économie moderne; non en cessant toutes productions mais plutôt en ayant l'oeil vers une politique internationale. La notion de pays au sens économique et politique devra être abolie afin de pourvoir aux besoins universels. L'homme n'est pas que matière mais aussi esprit et c'est pourquoi il nous faut penser que le bonheur ne se situe pas uniquement dans le confort physique.

Alors que la guerre fait avancer notre société, pendant que la faim sévit partout et que dans notre pays il existe de nombreux pauvres, les Américains sont considérés comme un peuple riche. Si ce n'est pas stupide, qu'est-ce alors?

Le président Nixon disait que la surtaxe favoriserait l'avancement mondial et la paix universelle. Les solutions recherchées par les Etats-Unis ont été axées, comme on devait s'y attendre, vers la domination étatsunienne.

Faut-il compter sur les Américains pour atteindre de nouveaux objectifs? Sûrement pas. Mais sur quoi alors?. . . Tout simplement sur la bonne foi, l'honnêteté et la sincérité de chacun. Chose certaine, les Etats-Unis ne sont pas un pays à imiter. Si la guerre existe, c'est à cause de leur impérialisme, et souhaitons-leur autant de malchance qu'ils ont fait souffrir et mourir de gens. Fini le rôle primordial de l'argent.

BIBLIOGRAPHIE

1) Berger, Pierre, **La monnaie et ses mécanismes,**
   Paris, **Que sais-je?,** 1966
2) Friedman, Georges, **Où va le travail humain,**
   Paris, Gallimard, 1967, 385 p.
3) Greenwald, Joseph A., **Le protectionnisme en Amérique;**
   édit.: A.S.B.C., coll. **Perspectives,**
   Belgique 1971; p. 144 à 218
4) Keynes, John Maynard, **Esquisse d'une théorie générale sur l'équilibre économique,** Paris, PUF, 1949
5) Morantz, Marcel, **Plan Marshall, succès ou faillite?,**
   Paris, édit.: Marcel Rivière, 1950
6) Simmons, Hector A.. **Growing Europe of the Sixties,**
   New York, McMillan, 1966, pp. 97-114

R: **Revues consultées:**
1) **Business Week,** 25 septembre 1971
2) **Business Week,** 13 novembre 1971
3) **Commerce,** septembre 1971, no 9
4) **Commerce,** octobre 1971, no 10
5) **Expansion,** septembre 1971
6) **Express,** août 1971
7) **Federal Reserve Board,** bulletin de décembre 69, p. 914
8) **Federal Reserve Board,** bullctin de mai 70, p. 62
9) **Les Affaires,** août et septembre 1971
10) **Maclean,** décembre 1971
11) **Problèmes économiques,** octobre 1965
12) **Problèmes économiques,** décembre 1965
13) **Problèmes économiques,** juillet 1965
14) **Problèmes économiques,** avril 1971
15) **Problèmes économiques,** septembre 1971
16) **Problèmes économiques,** bilan de l'année 1969
17) **Problèmes économiques,** bilan de l'année 1965
18) **Statistical Abstracts of USA,** 1969, p. 313
19) **Times,** 19 décembre 69, p. 54
20) **Times,** 3 mai 71, p. 60
21) **Times,** 19 décembre 70, p. 57
22) **Times,** 14 novembre 69, p. 96
23) **Times,** août 71
24) **US News and World Report,** 13 septembre 1971
25) **US News and World Report,** 18 octobre 1971
26) **Reflets et perspectives économiques**

J: **Journaux consultés:**
1) **Devoir** (le), 12 juin 67, "Le Kennedy Round"
2) **Devoir** (le), 22 janvier 70, par Louis Rasminsky
3) **Devoir** (le), août-septembre-octobre-novembre 1971

4) **Monde** (le), no 1190, reportage de Jacques Amahic,
   12 au 18 août 1971
5) **Monde** (le), no 1191, reportages de Tristan Doelnitz et Paul Fabra,
   19 au 25 août 1971
6) **Nouvel Observateur** (le), reportage de Jacques Normand,
   août 1971
7) **Point de mire,** 4 septembre 1971
8) **Presse** (la), août-septembre-octobre 1971
9) **Tribune** (la), août-septembre 1971

A: **Autres sources de documentation:**
 1) Discours du président Nixon à la Nation
 2) Conférence, du 11 novembre 1971, sur la politique Nixon
    à l'université de Sherbrooke
 3) Notes du cours de **macro-économique.**

111 Lithographié par Journal Offset Inc. 254 Benjamin-Hudon, Ville St-Laurent